De dollartekens in de ogen van Moeder Theresa

Herman Brusselmans

De dollartekens in de ogen van Moeder Theresa

2006 Prometheus Amsterdam

© 2006 Herman Brusselmans
Foto en omslagontwerp Kris Demey
Foto auteur Klaas Koppe
www.uitgeverijprometheus.nl
ISBN 90 446 0717 0

1

Hoe het met name allemaal begon

Zoals reeds bleek uit diverse van mijn vorige letterkundige werken heb ik een zeer groot muzikaal talent. Dat heb ik van geen vreemde. Ik denk aan mijn grootmoeder die een prachtige basstem had. Zij kon zo laag zingen dat ze een keer een liesbreuk opliep gedurende een der *Totenlieder* van Mahler. Tijdens haar herstelling had ze veel tijd om piano te spelen. Zij specialiseerde zich in deuntjes. Wat konden wij daarop dansen! Ik herinner me zo'n avond. M'n grootvader was jarig, zodat hij vijfenzeventig werd. Dat moest gevierd worden, waar of niet. In de haag hadden we tierlantijnen gehangen en hier en daar een leuke lampion. We hadden met z'n allen gespaard om voor grootvader een doos mastiek te kopen. Hij was er erg blij mee en tranen stroomden over zijn wangen. 'Waarom ween je, grootvader?' vroeg mijn zusje, dat nog klein was.

'Omdat ik begon te huilen,' zei hij. Mijn zusje was zo ontroerd door dit eenvoudige antwoord dat ze haar hoofdje begroef in haar hansop. Intussen ging het feest doodgewoon verder. We aten een smakelijk hapje. Het was een stukje geslacht konijn op een broodje kaas. Een gewaagde combinatie van mijn tante Paula, die stage had gelopen bij de befaamde kok uit Valenciennes, chef Jean-Copain Couquepanne. Ik las laatst nog een biografie van hem. Hij was geboren uit een geslacht van uitbeners en ontvillers. Reeds op jonge leeftijd begon hij moddertaartjes te bakken, die hij offreerde aan z'n mongoolse zusje Marie-Suisse. Hmm, wat smaakten ze haar. Ze likte er haar tenen bij af. Helaas zou ze niet veel later overlijden toen ze een everzwijn bij de piet greep. Ik blijf het zeggen: pas op voor everzwijnen.

Op zoek naar verre horizonten vertrok Jean-Copain de volgende dag naar Parijs. Daar stond hem nog heel wat te wachten. Op dat moment stopte ik met lezen omdat er aan de deur gebeld werd. Het was buurman Alfons. Ik liet hem binnen. 'Goeiemiddag, Alfons,' zei ik, 'wat kom je doen? En snel wat, ik moet nog naar de wei, om naar het gras te kijken. Dat doe ik graag.' 'Ik wilde vragen,' zei Fons, 'of jij een synoniem weet voor straatmarkering.' 'Nee,' zei ik. 'Jammer,' zei hij, 'dan ga ik maar weer.' Ik liet hem uit. Mensen denken altijd dat je, omwille van je schrijverschap, voor elk onnozel woord een synoniem hebt. Dat is zonder mij gerekend. Doch laten we terugkeren naar het feest. We begonnen met swingen en beboppen, nadat grootmoeder een amalgaam van klanken uit haar instrument toverde. Ik heb in mijn leven veel pret beleefd, maar nooit zo veel. Inwendig zei ik tegen mezelf: 'Ooit wil ik ook muziek spelen, is het niet nu, dan later.' Daarna ging ik naar bed, om eens lekker aan m'n pisseloe te snokken. In mijn gedachten stelde ik me een meisje voor dat twee vingers in haar mond had en twee vingers ergens anders. Gedachten zijn bij voorkeur simpel en overzichtelijk. Dat is mijn adagium.

Dan mag ik intussen niet vergeten te vertellen over mijn tante Frieda, de zus van tante Paula. Zij speelde eveneens een instrument, zij het met tussenpozen. Ze zwoer bij de banjo. Ze had hem eigenhandig gemaakt, uit een stukje hout en enige afgedankte snaren die ze op zolder had gevonden tussen andere snaren. Wat al die snaren op zolder lagen te doen, dat wist niemand. We vroegen het aan oom Theo, die op vele vragen de antwoorden had, doch neen, dat wist ook hij niet. 'Ik weet wel andere dingen,' zei hij, en als om dat te bewijzen toverde hij enige weetjes tevoorschijn over bijvoorbeeld de

Tweede Wereldoorlog. 'Weet je wie Fritz von Schleiper was?' vroeg hij.

'Nee,' zei ik.

'Jij weet ook weinig,' zei hij, waarna hij tegen m'n vader opmerkte: 'Die Herman van jou, die moet nog veel leren.' M'n vader fronste z'n wenkbrauwen. Dat was trouwens de laatste keer. Nadien heeft hij nooit, ik herhaal *nooit* meer zijn wenkbrauwen gefronst. Je moet het toch maar doen.

Het eerste optreden van tante Frieda vond plaats in een klein Oost-Vlaams dorpje, genaamd Moerzeke-Castel. Het staat bekend om landschappen, met daarin, als waren het rozijnen in een taart, hoeven. Zo goed als iedereen in Moerzeke-Castel heeft een hoeve en zij die er een ontberen, die worden nageroepen, bespuwd en zo nodig in de beek geduwd. Ik heb die beek nog met m'n eigen ogen gezien.

Tante Frieda was erg zenuwachtig. Zou het Moerzeeks-Castelse publiek haar banjosolo wel slikken? Nooit tevoren was er in Moerzeke-Castel een optreden geweest van een 54-jarige gehandicapte vrouw die zich slechts met één hand bediende van een banjo. Ze was maar met één hand geboren en wat er van de andere hand is geworden is nooit opgehelderd.

Tante Frieda nam net voor het optreden gauw een stevig glaasje jenever. 'Neem er nóg eentje,' zei haar man, oom Theo. Zij negeerde hem, en nam er nog eentje. Oom Theo was haar toeverlaat. Als er iemand haar banjo voor haar droeg was hij het. Dan heb ik het er nog niet eens over dat hij het huis schoonhield, de tuin in orde bracht, elke dag kookte, waste en plaste, en naar de hoeren ging. Het was een afwijking van hem. 'Ik plas nu eenmaal graag,' zei hij.

Eindelijk werd tante Frieda op het podium aangekondigd door de presentator. 'En dan nu,' zei hij, 'iemand zonder wie ik op dit moment sprakeloos zou zijn, niemand minder dan Frieda Brusselmans, bijgenaamd Mister Banjo Himself! Een applaus graag.' Ik moet zeggen, het was een matig applaus, en dan weet je het al wel. Tante Frieda liet het echter niet aan haar hart komen en besteeg waardig het toneel. Ze ging zitten op een krukje en zei: 'Goeieavond, beste dames en heren. Ik zal voor u enige onverwoestbare banjomelodieën vertolken die ik zelf heb geschreven, tussen mijn zwangerschappen door.' Inderdaad, daar had ze een punt. Zij en oom Theo hadden negen kinderen en geloof mij, dat waren er beter veel minder geweest. Persoonlijk gok ik op ten hoogste twee.

'Mijn eerste nummer,' ging tante Frieda door, 'is een instrumentale uitdrukking van mijn liefde voor de natuur, bijvoorbeeld struiken, mossen, grassen en niet te vergeten bomen. Hoe prachtig kunnen ze zijn! Ik noem voor de vuist weg gedurende het winterseizoen.' Ze boerde. 'Excuseer, de panharing misvalt mij. Nochtans kwam hij vers uit zee. Ik heb een kennis in Oostende die hem zelf vangt en ze dan snel naar het binnenland brengt. Zijn naam is Eugène. In de jaren zestig heeft hij naam gemaakt als schilder van baren, zout water, golven en schuimkoppen. *One two three*.' Ze begon eraan. Haar eenzijdige klankentapijt kreeg de toeschouwers algauw in de ban. Hier en daar werd een traantje weggepinkt en een oud vrouwtje was zo aangegrepen door de frêle banjocompositie dat ze naar de dokter ging. M'n tante Frieda speelde echter onverdroten verder met een airtje alsof er van podiumonvastheid geen sprake was. Wie had het kunnen denken van deze eenvoudige volksvrouw, die eigenlijk voorbestemd was om, ook in dit boek, anoniem te blijven? Voor je het wist was ze reeds aan haar volgende creatie begonnen, hoewel intussen ook een tweede oud vrouwtje naar de dokter moest. Voor het zover kwam viel ze in katzwijm. 'Kan niemand die oude vrouw helpen?' riep een man. En inderdaad, dat kon niemand. Aldus eindigde het optreden in het soort mineur dat voor weinig vrolijkheid zorgt. Toch zou tante Frieda door platenmaatschappij Sabine in staat worden gesteld om een langspeelplaat te maken, onder de titel *Weer-*

klinkt daar niet de banjo bij nacht? De opnamen vonden plaats in het donker. Dat was er niet eens aan te horen. Tot een ieders verbazing waren er voor de lp ook nog kopers te vinden. Het ene exemplaar na het andere ging de winkel uit. Dat waren er alvast twee. Daar bleef het niet bij. Tante Frieda werd in staat gesteld met de royalty's een leuk jurkje te kopen voor al haar kinderen. Ik zie dikke Sven nog lopen in dat jurkje. Voor een veertienjarige had hij enorm zware dijen. Geen wonder dat hij werd uitgelachen. En hij was al zo'n gevoelig mannetje. Je hoefde maar te zeggen 'Dikke Sven is daar' of hij ging weg.

Ik dacht: als tante Frieda succes kan hebben in de muziek, waarom ik dan niet? Maar het zou werken worden, hard werken. Dat schrikte me niet af.

2

De notenleer

Ik besloot notenleer te volgen. Ik was van mening dat de notenleer een van de interessantste leren is die er bestaan op onze wereld. In de Damstraat woonde een notendocent, genaamd Fred De Vits. Hij was eerste geworden in de grote notenwedstrijd van Antwerpen in 1944. Zijn specialiteit was de do. Fred woonde in een keurige persoonswoning, samen met zijn gezin bestaande uit zijn vrouw Pijkenzot en zijn kinderen Sjors en Bollie. Ze waren met z'n allen ros. Ze droegen een brilletje en twee van hen steunzolen, Pijkenzot en Sjors. Bollie was het buitenbeentje. Reeds op twaalfjarige leeftijd koos zij voor een bestaan als monitrice. Ze was aldus vaak uithuizig. Maar op die welbepaalde dag, een zaterdag rond halfdrie, was zij aanwezig. Ze zat in de tuin haar borsten te masseren. Pijkenzot was de haag aan het controleren, terwijl Sjors een boek zat te lezen van de indertijd vergeten schrijver Polleke Papmans, een neo-romanticus uit Sint Gillis Dendermonde. Ik las zelf ook wel eens een boek van hem, en dan vooral *De gevangene der schijters*, over een man die ontvoerd was door drie gangsters met diarree. Ze vroegen 250.000 frank losgeld. Dat was in die jaren geen onaardig bedrag, waarmee je bijvoorbeeld een plek maïs kon kopen. Papmans was vooral bedreven in dialogen. Ik citeer: '"Laat mij vrij," zei Jef. "Nee," zei Louis. Jules bemoeide zich ermee en zei: "Wat eten we?" "Kersen van eigen pluk," zei Firmin, die eerst naar het toilet ging.'

Wat vrijwel meteen opvalt is de soberheid van dit proza, waar ik veel van geleerd heb. Papmans overleed in 1971, bij het starten van zijn brommer. De artsen stonden voor een raadsel.

'Zo zo, jij bent dus mijn nieuwe leerling,' zei Fred, terwijl hij zijn voorhoofd depte. De zon scheen ongenadig. Ik houd het niet precies bij, maar het moet rond de achtentwintig graden geweest zijn. Het was een van die mooie zomers. Op dat moment besloot de buurman langs te komen. 'Ha, Teunis,' zei Fred. Ik kende Teunis omdat hij samen met mijn grootvader nog een handel in broodtrommels had gehad, die helaas failliet ging omdat mensen hun brood steeds minder vaak meenamen. 'Dag Teunis,' zei ik. 'Hier, zie,' zei hij, 'de kleine van Brusselmans. Gij zijt nogal gegroeid, gij. Hoe groot zijt gij nu?'

'Een meter negenenzestig, Teunis,' zei ik.

'Dat is al een kop groter dan mijn vrouw Florentina,' wist Teunis mij te melden. 'Haar zuster Valentina is nog kleiner. Die is een meter negenenveertig. Die moet op een stoel staan om naar de vogels te kijken. Kijkt gij veel naar de vogels, kleine Brusselmans?'

'Alleen als ik ze zie vliegen, Teunis.'

'Vogels,' zei Sjors, 'vogels, vogels, vogels, vogels, vogels.' Hij legde zijn boek even ter zijde en zei nu: 'Vogels, vogels, vogels.' Daarna begon hij opnieuw met lezen.

'Ja, lieve schat, vogels,' zei Pijkenzot. Haar zoon was haar oogappel. Ze deed hem in bad, leerde hem schapen slachten, ging met hem naar de spoedopname en sloeg hem zo goed als nooit. Geen wonder dat Sjors een moederbinding had die die van Oedipus tot een lachertje maakte. Inderdaad, tot een láchertje. Dat mag gerust vermeld worden.

'In de oorlog aten we brood en kaas om te overleven,' zei Teunis.

'Vertel daar 'ns wat meer over,' zei ik.

'We sneden het brood in stukken en legden er de plakken kaas op,' zei hij.

Hoewel ik niet weet wie Fritz von Schleiper was ben ik erg geïnteresseerd in alles wat met de oorlog te maken heeft. Met de buurtkinderen wilde ik, toen ik klein was, altijd Auschwitz naspelen, doch zij weigerden. Het waren laffe buurtkinderen die niet eens een der grote menselijke rampen uit de geschiedenis wilden naspelen.

'Tot er ineens op de deur gebonkt werd,' zei Teunis. 'De Duitsers zijn daar, dachten wij vol schrik. Wij kropen onder de tafel. Opnieuw werd er gebonkt. Mijn moeder kroop onder de tafel vandaan en deed open. Het waren geen Duitsers, maar twee Denen en een Portugees. Ze hadden zich van nummer vergist. Ze moesten op nummer 39 zijn terwijl wij nummer 93 hadden. Ik zal het nooit vergeten. Plezantstraat 93. Ons huis van toen is natuurlijk al lang afgebroken en vervangen door een kredietinstelling.'

'Ja, dat weet ik,' zei Fred. Werd het niet eens tijd dat we aan mijn eerste les notenleer begonnen? Inmiddels was Bollie opgehouden haar borsten te masseren. Dat viel me meteen op. Blozend keek ik uit m'n ooghoeken toe hoe ze haar bustehouder aantrok. Het was een rode, en daar werd ik betrekkelijk geil van. Ik volgde haar naar haar kamer. Daar stak ik mijn snikkel in haar pruim. Het was mijn eerste seksuele ervaring en ik probeerde er zo lang mogelijk van te genieten. 'Kan het niet wat sneller?' vroeg Bollie. 'Ik moet zo meteen naar Buggenhout.' Op en neer ging ik, steeds op en neer. Ik probeerde m'n ejaculatio praecox nog wat uit te stellen, maar dat bleek op den duur tevergeefs. Tevreden spoot ik m'n kwakkie in Bollies pruim. Te laat viel mij te binnen: ze zal godverdomme toch zeker niet zwanger van mij worden?! Wat dan gezongen? Ik ben veel te jong om met m'n zoon te gaan voetballen in het park. Welk park? En zo tolden mijn gedachten holderdebolder over elkaar. Ik trok daarna mijn broek aan en ging weer naar de tuin, om te zien of de noten-leerles eindelijk kon beginnen. Fred was echter nergens te bekennen. 'Waar is Fred?' vroeg ik aan Pijkenzot. Ze negeer-de mij en vroeg 'Waar ga je heen?' aan Bollie, die het huis uit kwam gelopen met een knapzak op haar rug. 'Naar Buggen-hout,' zei Bollie. 'Akkoord,' zei Pijkenzot.

'Waar is Fred?' vroeg ik nogmaals aan Pijkenzot. Hij kwam ineens van achter de haag, samen met Teunis. Ze fat-soeneerden hun kledij. Ze zouden toch zeker niet elkanders rug hebben ingesmeerd met Algipan (want daar gingen ver-halen over in het dorp)? Eigenlijk wilde ik geen notenleer volgen bij een pervert, en dus besloot ik om ergens anders notenleer te gaan volgen. Dat was bij Mieke Falderie, die nog notenleer had gedoceerd aan de academie in Dendermonde. Op m'n fiets reed ik van het huis van Fred De Vits naar het huis van Mieke Falderie. De afstand tussen beide overbrugde ik. Ik belde aan. Er werd opengedaan door Joeri Falderie, de man van Mieke, die er als 85 uitzag. 'Goeiemiddag Joeri,' zei ik, 'hoe oud ben jij?'

'Vijfentachtig,' zei hij. De lezer merkt dat ik weinig lieg. En zo hoort het. Een schrijver moet de waarheid schrijven tot hij alternatieven vindt. Joeri bekeek mij door zijn nieuwe bril en vroeg: 'Ben jij niet de kleine Brusselmans?'

'Nee, dat is m'n zusje,' zei ik. 'M'n broer is dan weer de gro-te Brusselmans. En zo is het altijd wat. Mag ik binnenko-men? Ik wil notenleer volgen bij uw vrouw Mieke.'

Hij krabde waar het jeukte en liep me vervolgens voor naar een niet zo ruime woonkamer. Daar zat Mieke een spel-letje kaart te spelen met haar inwonende nichtje Josje Boer-lala, de eerste vrouwelijke beerruimer die ons dorp ooit had gekend. Nu was ze echter met pensioen, en ze had besloten om het er eens goed van te nemen. Wat zijn mensen toch rare wezens. Neem nu Josje Boerlala. Die had een hoedje op van papier. 'Meisjes,' zei Joeri, 'hier is Brusselmans. Groot of klein, wat maakt het immers uit? Mieke, hij wil notenleer bij je volgen.'

'Dan moet ik hem eerst beter leren kennen,' zei Mieke. 'Ja, ik ook,' zei Josje. Ze legden hun kaarten ter zijde en monsterden mij. Ik stond daar maar. Dat gemonster duurde zeker vijf minuten, zo niet de langste vijf minuten uit m'n leven, dan toch behoorlijk lang. Zweet parelde op mijn voorhoofd. Ik wiste het weg met een bolletjeszakdoek. Ik stak 'm in m'n zak, waar hij zich tevoren, voor het gemak, ook reeds had bevonden. 'Heb jij een grote leuter?' vroeg Mieke. 'Ja,' zei Josje, 'dat zou ik ook wel willen weten.' Zou ik hun de waarheid vertellen? Natuurlijk. 'Nee,' zei ik, 'ik heb een leutertje van twee keer niks. Maar ik verkies, Mieke en Josje, dat jullie zulke vragen niet meer stellen, want dan word ik achterdochtig.' Ik keek hen strak aan, zoals volgens mij alleen Herman Brusselmans dat kan. De oudjes zaten beiden te beven in hun vel. Ze leken wel bang voor mij. Dat gaf me zo'n gevoel van macht dat hun angst me geen bal interesseerde. 'Mogen we andere vragen stellen?' vroeg Mieke. 'Ja,' zei Josje, 'andere vragen, die we mogen stellen.' Er werd gebeld. Zou ik dan nooit noten leren? Wie mijn biografie een beetje kent weet dat. 'Wie kan dat zijn?' vroeg Mieke zich af. Ze hoopte dat het niet Sven Bult zou zijn, een onbekende. 'Doe eens open, Joeri,' zei ze tegen haar echtgenoot, die in de zetel de slaap had gevonden. Hij werd wakker van het bevel om open te gaan doen. 'Wat?' vroeg hij, nadat hij wreed gestoord was in zijn droom over de Vlaamse omroepster Nicki Bovendaerde die in haar blote kont de tamboerijn stond te beroeren. Zoals bekend staat de tamboerijn in de *Traumdeutung* voor een naakte reet.

'Dat je eens de deur moet opendoen, waaraan werd gebeld,' zei Mieke, elk woord prononcerend. Joeri stond moeizaam op, waarbij je zijn spieren hoorde kraken in zijn lichaam. Wat was hij een broze *little guy*. Je hoefde hem zonder twijfel maar een tik met een enorme voorhamer te geven en hij viel om. Wat haalt het uit dat je in de Tweede Wereldoorlog hebt gevochten als je zestig jaar later de kracht van een oude man hebt? 'Ja, oké, Mieke,' zei hij. 'Ja, oké, Mieke,' herhaalde hij. Eindelijk schuifelde hij naar de deur, die hij plots opendeed. Weet je wie daar stond? Het was de pastoor. 'Ah, goeiemiddaag Joeri,' zei die, 'ik kwaam eens kijken of het geeestelijk allemaal wel snoor zit in dit huis. De Heer Jezuus is voor ons neeedergedaald en de Heer Jezuus is onze verloosser.'

'Dat hij mijn kluutten kust,' zei Joeri en hij sloeg de deur voor de herder dicht. Joeri was niet erg dik met de Heer Jezus. Hij redeneerde: wat heeft de Heer Jezus ooit voor mij gedaan toen ik op een keer gebeten werd in mijn anus door een rat die in de wc-pot verscholen zat? Wat hierbij in rekening dient te worden gebracht is dat de wond ontstak en bij God niet minnetjes ook. Drie weken etter gescheten.

Joeri kwam terug in de woonkamer. Daar zat Mieke mij inmiddels de noten te onderwijzen en ze deed dit op zo'n ontoereikende manier dat ik besloot om de notenleer definitief vaarwel te zeggen in dit leven. Ik nam afscheid van Mieke, Josje en Joeri en ik zei: 'Dit is geen vaarwel, mijn vrienden. Misschien komen we elkaar morgen tegen bij de bakker.' Zij wuifden en toen vertrok de later zo beroemd geworden auteur in de dop. 'Zonder noten die ik bij naam ken,' sprak hij in zichzelf, 'zal het ook wel lukken.' Hij glimlachte lief.

3

Mijn eerste en mijn tweede gitaar

Eerst hadden wij thuis geen televisie. Maar godverdomme wel een radio. Die stond bij ons miljaardedzju op de kast. Daar keken we elke avond naar, met een luisterend oor. Mijn grootvader wilde vooral het nieuws horen, bijvoorbeeld over de dood van John Fitzgerald Kennedy. De nieuwslezer zei: 'Dan onderbreken we nu het nieuws om de melding te brengen van het bericht dat de Amerikaanse president overleden is nadat hij werd geraakt door verschillende kogels. We schakelen over naar onze correspondent in New York, Philemon De Groot.' Dan hoorde je allerlei gekraak, geruis, geknisper en een man die zei: 'Maar ik ben helemaal geen correspondent. Ik stond hier gewoon tegen een haag te pissen', maar dan wel in vlekkeloos Engels. Wij kenden geen Engels. 'Wat zegt hij?' vroeg mijn grootmoeder. Dat wisten we niet. Intussen waren we zo overmand door verdriet dat we de radio afzetten. De Amerikaanse president dood! Mijn grootmoeder huilde zo hard dat de buren kwamen vragen of het niet wat stiller kon. Ook zij huilden. Zou hun kind gestorven zijn? Maar neen, het bleek ook bij hen om de Amerikaanse president te gaan. Zelf was ik eerder een aanhanger van Nixon, dus meer dan een paar tranen konden er bij mij niet af. Ja, John Nixon was mijn mannetje. Of nee, hij heette niet John. Hoe heette Nixon ook weer? Ik zou het duizend keer zeggen. Als het mij ineens te binnen valt zal ik het... *Richard*. Hoe kon ik het vergeten? Dat is de vraag. Zelf luisterde ik op de radio graag naar muziek. Ik kon zalig wegdromen bij allerlei liedjes, waarbij me vaak de rol van de gitaar opviel. Al van jongs af aan besefte ik dat vele muziek anders zou klinken als er geen gitaar aan te pas kwam. Ik dacht dan ook bij mezelf: zo'n gitaar wil ik wel hebben. Ik vroeg aan verschillende mensen hoeveel zo'n gitaar nou eigenlijk alles goed en wel beschouwd kost. 'Dat weet ik niet,' zeiden mijn grootvader en mijn grootmoeder. Plotseling viel me te binnen: tante Frieda moet het toch wel weten, want die speelt banjo, en behoren de banjo en de gitaar immers niet tot dezelfde familie van de snaarinstrumenten, waarbij we zeker de vedel niet mogen vergeten, de ukelele, de viool, de contrabas en zo'n Turkse plank met twee touwtjes eraan waarmee de Ottomaanse virtuozen enorm van jetje konden geven? Een van hen was Hassan Bosj, een Constantinopelse bergbewoner die zodanig goed kon spelen dat hij een eredoctoraat kreeg van de universiteit van Istanbul. Later ging het bergafwaarts met deze boeiende gozer. Hij raakte aan de drank en dan heb ik het toch algauw over een raki of twintig per dag. Ik heb zelf ooit 'ns twintig raki's gedronken, hoewel het er minder geweest kunnen zijn, want bij de tweede was ik de tel al kwijt. Bosj hing z'n instrument in de wilgen en opende een hoerenkast in Bodrum, de badplaats. Vanaf dat moment zijn we zijn spoor bijster. Wat zou er van hem zijn geworden? Dat hij doodvalt.

'Een frank of drieduizend,' zei tante Frieda. Ze schonk een dampend kopje thee in. Haar negen kinderen waren niet aanwezig, en oom Theo was naar de herscholing. Hij wilde per se metselaar worden van elk soort muur dat je maar kan bedenken. Dat was niet zo slim, omdat hij allergisch was voor mortel. Elke keer als hij in aanraking kwam met mortel moest hij kakken. Je zal zeggen: ja, daar is Herman Brusselmans weer met dat eeuwige kakken van hem, maar ja, het kakken is nu eenmaal een belangrijk bestanddeel van ons aller bestaan. Zelf heb ik vandaag ook al twee keer gescheten, de eerste keer nog gebonden doch de tweede keer floeperde-floep. Het kostte me een halve rol wc-papier om dat holletje van mij rein te krijgen. 'Zoveel?' zei ik verbijsterd tegen tante Frieda, niet voordat ik van m'n thee had geproefd. Die had een raar smaakje, ik denk aan afval. Thee met een afvalsmaak, wat zou ik nog meer beleven? Niettemin dronk ik heel m'n kopje ledig. 'Misschien nog wel meer,' zei tante Frieda. Ze verwijderde een pluisje van haar pluchen rok. Ze is een van de weinige vrouwen die ik ken die zo dol is op pluchen rokken dat ze er een heeft laten inlijsten om boven haar bed te hangen. 'Dat is toch wel veel geld, tante Frieda,' zei ik zonder veel omwegen. We spreken hier over drieduizend frank, wat ongeveer neerkwam op de waarde van mijn vermogen plus een kleine drieduizend frank. Wie kan rekenen beseft dat ik zo goed als platzak was. Mijn moeder en vader gaven mij niet veel zakgeld omdat ze vreesden dat ik er overbodige dingen mee zou kopen, zoals een zakje marrebollen, een nieuw stuur voor m'n fiets of een stethoscoop. Ze waren bang dat ik dokter zou worden. Dat keurden ze af, omdat dokters vaak in een vrouw haar preut moeten kijken. Bij ons was seks niet bepaald bespreekbaar. Mijn ontmaagding door Bollie van de De Vitsen bijvoorbeeld hield ik angstvallig geheim. Het is vandaag voor het eerst dat ik erover praat. 'En dan heb je waarschijnlijk nog een gitaar van mindere kwaliteit,' zei tante Frieda. Wat een kwebbeltante. Ze bleef maar praten. Nooit laste ze een minuutje stilte in. Ik houd van stilte. Ik ga haar altijd opzoeken, niet zelden in een beschermde omgeving. Daar zit ik dan, slechts overmand door mijn gedachten en voor me uit suffend. Tjonge, wat een sufferd. 'Je hebt ook occasiegitaren,' zei tante Frieda, 'te koop aangeboden door mensen die ervan af willen.' Dat leek me sterk. Ik kon me bezwaarlijk voorstellen dat je een gitaar hebt en daarvan af wil. Ik zeg altijd: een gitaar is voor het leven. 'Nee,' zei ik, 'zo'n occasie moet ik niet hebben. Ik wil een nieuwe, zo nieuw dat je hem kan ruiken, ook op afstand.' Dat was goed gezegd van mij. M'n tante Frieda bekeek me vol haat. Mocht ze een golfstok hebben gehad, ze had er ongetwijfeld mijn neus mee van mijn gezicht geslagen. Mijn neus kwijt! Wat een vreselijk denkbeeld in die jaren van onwetendheid! Zoals u ziet heeft de auteur al heel wat meegemaakt, veel meer dan andere auteurs, onder wie John Muts, Wiezewies Upstairs, Kolonko Vladimirovitsj en Smalle Jef. Ik noem hier inderdaad slechts minder bekende auteurs, want de bekende, die kunnen vierkant de pot op. Een aanrader is en blijft trouwens Smalle Jefs streekroman *Hoe mijn koeien de gracht in sukkelden*. Wat had ik bij lezing medelij met die arme dieren. Ze verdronken alras, en dat alles terwijl boerin Vanessa met een stuk in haar voeten op bed lag, samen met boer William, die een hersentrombose had.

Waarom haatte tante Frieda mij zo? Allicht omdat ik mooier haar had dan zij. Het hare leek op een bedje verdorde sla, met een lepeltje bruin uitgeslagen mayonaise erover-heen. Ikzelf moet bij het denkbeeld aan die *plat* kotsen als een lama, doch anderen vinden het dan weer lekker. Sommi-ge mensen hebben immers rare eetgewoonten. Zo woonde er in ons dorp een gehandicapte betonconstructeur en die at 's nachts alleen glazuur. Met die man is het nooit meer goed gekomen.

Ik verliet algauw het huis van tante Frieda. M'n doel was het om aan drieduizend frank te raken, zo niet meer. Ik keek op m'n horloge. Het was eigenlijk nog niet laat als je er 'ns goed bij stilstond. Het valt me altijd mee als ik zie hoe vroeg het nog is. Daarnet ook. 'Verdomd,' fluisterde ik, 'nog maar vijf voor halfvijf.' Hoe kon ik aan geld komen, hoe kon ik aan geld komen? Mijn ouders zouden het me niet geven, vrezend dat ik er een ijzeren baar mee zou kopen om in een vrouw haar foef te duwen. En een potje vet, om de baar goed te laten glijden. Het best leek het me om het geld te stelen. Ik ging op zoek naar een oud vrouwtje met haar tas angstvallig onder de arm geklemd. Ja, ginder liep er eentje. Wat zou ze het erg vinden dat haar tas, met daarin al dat geld, haar brutaal werd ontnomen door die vlegel op een fiets! Ze had grijs haar, tot achter in de nek. Vanuit de verte leek ze een beetje op een besje. Kon ik haar beroven en haar zo degraderen tot, ja, tot wat? Nee, dat kon ik niet. Ik ben er weliswaar van overtuigd dat iedereen iets slechts in zich heeft, doch het goede in mij overwint geregeld. Dat mag je vragen aan m'n echtgenote. Ik reed door en in plaats van haar handtas te grijpen riep ik: 'Goeiemiddag, mevrouw!' Doof was ze ook nog, en algauw werd ze een stipje in mijn achteruitkijkspiegel. Als een wildeman gaf ik gas. Of nee, dat was jaren later, op m'n motorfiets. Ik haal wel eens een aantal decennia door elkaar. Nu zitten we in 2005, maar toen nog niet. Ik moest een andere manier vinden om aan geld te komen, dat stond nu wel vast. Ofwel ik kocht de gitaar op krediet. Wat was dat een goed idee. Een schrijver heeft altijd van die goeie ideeën, daar moet je eens op letten. Dat zou ik doen: naar de gitaarwinkel rijden en een gitaar kopen op krediet en verder met de rest van m'n leven iets proberen te doen wat me gelukkig zou maken, tot ik op hoge leeftijd het tijdelijke zou verwisselen. Hoe zat het echter met de aanbetaling? Is dat niet die term die aanduidt dat je, als je iets op krediet koopt, meteen een bepaald deel van de gehele som op de toonbank moet leggen en dan de rest in maandelijkse schijven? Dat lijkt me wel. Verder bemoei ik me nergens mee. Plus, waar had je een gitaarwinkel in de buurt? We spreken hier over het Hamme van dertig jaar geleden, toen er nog geen gitaarwinkels her en der waren. Toch kende ik er een, in de Slangstraat. Ik wist tevens waar de Slangstraat was. Sterker nog, ik reed erheen. Onderweg stelde ik me voor hoe ik ooit het meisje van m'n dromen zou ontmoeten en haar dertienenhalf jaar later zou vragen: 'Tania, wil je met mij trouwen?' Het was een steeds terugkerende fantasie. Ik was inmiddels reeds ter hoogte van de gordijnenwinkel van Sus Casteleyn. Dus ver was de Slangstraat niet meer. Als ik dan toch een gitaar zou kopen, waarom dan niet twee? Ik kon er altijd eentje verkopen voor veel te veel geld, aan een onwetende. Tegen hem of haar kon ik eventueel zeggen: 'Achttienduizend frank. Carlos Gonzales heeft nog op die gitaar gespeeld.' Natuurlijk zou de vraag komen wie Carlos Gonzales was. 'Weet jij niet wie Carlos Gonzales was? Dat was een van de beroemdste gitaristen uit Peru, samen met zijn broer Amancio. Ze trokken van dorp naar dorp, daar slechts hun liederen zingend, begeleid op gitaar en stille trom. The Rolling Stones zijn enorm beïnvloed door hen. Dat mag je vragen aan m'n echtgenote.' Dat was alweer een goed idee. Ik heb bij tijden de indruk dat ik erg intelligent ben.

4

Mijn eerste en mijn tweede gitaar (deel twee)

Al snel kwam ik aan in de Slangstraat. Dat was een van de belangrijkste winkelstraten in Hamme, en dan overdrijf ik niet. Je kon er allerlei benodigdheden kopen, als je dat wilde. De gitaarwinkel lag ingeklemd tussen een winkel in gerei en een winkel in hebbedingen. Dat soort werk. De eigenaar, tevens de uitbater, heette Jules L'Esplanadepleijn. Hij was van Waals-Vlaamse afkomst. Zijn vader was vliegtuigpiloot geweest in de Tweede Wereldoorlog en had een dorpje in Duitsland gebombardeerd. Spijtig, maar ja, de oorlog, nietwaar. Ik moet zeggen: ik vind oorlog iets wat beter niet kan gebeuren, ongeacht het tijdperk waarin hij zich afspeelt. In de geschiedenis vond ik met name de Punische Oorlog geheel overbodig. Nu jij weer. Ik stopte en stalde m'n fiets tegen een stuk muur. Ik had geen fietsslot of zo, want fietsen werden zo goed als nooit gestolen, omdat praktisch iedereen toch al een fiets had. Ik stapte de winkel binnen. 'Goeiemiddag, meneer L'Esplanadepleijn,' zei ik bijna onmiddellijk tegen Jules Esplanadepleijn, die op een laag stoeltje een gitaar zat te stemmen. Verder waren in de winkel geen personen aanwezig. Ik had reeds horen fluisteren dat de winkel geen vetpot was en dat de vrouw van Jules, Caracole, wat bijverdiende door in de avonduren beukjes te planten voor een boomkwekerij uit Lochristi. Beukjes plant je het beste 's avonds. Ik wist dat ook niet, tot het mij verzekerd werd door een kenner. 'Wat je nu zegt,' zei ik. 'Welzeker,' zei hij, 'als je beukjes plant in de ochtend of, erger nog, in de namiddag, dan kan je ze gedag zeggen met het handje.' Nog diezelfde avond overleed hij aan een hartaanval. Ik heb 'm nooit meer gezien. Laten we ophouden over bomenkwekers en verdergaan met mijn verhaal, dat de basis van dit boek vormt. 'Zeg maar Jules,' zei hij. Hij was een rijzige man, met op zijn hoofd uitsluitend een kale plek. Zijn oren waren als twee lappen varkensvlees en zijn oogjes stonden zo ver uit elkaar dat ze elk in een helft van zijn gezicht waren afgetekend. Hij had een lelijke kin die hij probeerde te maskeren met een snor, wat mislukte. Laat toch een baard groeien, dommerik. Wat is me dat nu? Ben jij nu werkelijk zo'n idioot dat je geen baard laat groeien? Sommige mensen zijn zo dom als een gesteente. 'Jules,' zei ik, 'ik kom twee gitaren op krediet kopen. Maar ik kan vandaag geen aanbetaling doen, dus dat komt morgen wel.' Hij bekeek me, als om te taxeren of ik, mede in geldelijke zaken, te vertrouwen was. Op dat moment kwam zijn zoontje van een jaar of tweeëntwintig binnen. We wisten in het dorp dat het ventje wat achterlijk was en de geestelijke bagage had van een muggenraam. 'Pappie, poppie pipi pappelappie puppelupoepoe,' zei hij. Ik kon er geen touw aan vastknopen. Wat had die kleine eigenlijk gezegd? Mij een raadsel. 'Ja, Antoine,' zei Jules desondanks, 'ik zal straks het spuitje er opnieuw aanvijzen.' Gelukkig als een kind ging de jongen heen. 'Het spuitje van Antoines brandweerwagen is eraf,' zei Jules. 'Dat jij dat weet,' zei ik vol bewondering. 'Ja, hij spreekt z'n eigen taaltje,' zei Jules, 'maar zolang hij z'n stront niet meer aan de muren wrijft ben ik al lang tevreden. Heb jij gehandicapte broertjes of zusjes, en zo nee, prijs je gelukkig?' 'Zo nee,' zei ik. 'Prijs je gelukkig,' zei hij. 'Maar nu ik je eens goed bekijk denk ik wel dat je te vertrouwen bent. Ben jij trouwens geen zoon van de veehandelaar Gust Brusselmans?' Omdat ik erg trots ben op mijn vader zei ik: 'Ja.' 'Het is bekend dat Gust een zeer te vertrouwen persoon is,' zei Jules, 'dus ik zal jou met plezier twee gitaren laten kiezen, en je morgen de aanbetaling laten doen.' Zo zie je maar weer hoe belangrijk een vader kan zijn in de muzikale ontwikkeling van z'n zoon, al was m'n vader erop tegen dat ik ooit een gitaar ter hand zou nemen. Maar hij zou wel bijdraaien, vooral dankzij de invloed van mijn moeder. Bedankt, lieve ouders. 'Welke gitaren wil je?' vroeg Jules. Omdat ik zoveel af wist van gitaren als een vrouw van een buffel castreren, deed ik alsóf ik er veel van af wist en ik zei: 'Ik kijk eerst even rond.' 'Doe gerust,' zei Jules, 'intussen ga ik nog wat door met het stemmen van deze Rickenbacker.' 'Zeer goed, Jules,' zei ik, en ik begaf me naar de oostelijke vleugel van de winkel, waar ik naar de gitaren begon te kijken. Mijn god, wat leken die krengen allemaal op elkaar. Ik probeerde ze hoe dan ook aandachtig te bestuderen. Hierbij overviel mij de neiging om alle gitaren aan stukken te slaan. Ik was reeds in m'n jeugd een jongen die de destructie van alles in zich droeg. Het enige wat mij tegenhield was de gedachte: nee, gitaren aan stukken slaan, dat hoort eigenlijk niet. Doch plots kwam er een andere klant binnen. Wat was dat een mooi meisje, zeg. Zou ik op haar afstappen en haar vragen of ik haar scheur mocht aanschouwen? Ho ho, niet zo snel, Herman. Komt tijd komt raad. Jules L'Esplanadepleijn was zo aandachtig bezig met zijn gestem dat hij het meisje nauwelijks had opgemerkt, de flikker. Ik liep – stoer en mannelijk als Charles Bronson in zijn film waarvan me thans de titel ontsnapt, maar ik geloof dat het iets was in de trant van... Nee, dat was een andere film – naar het meisje. 'Kan ik je helpen?' vroeg ik. Ik stak m'n hand uit en zei: 'Herman Brusselmans, musicus. Dit heb ik als bijbaantje.' 'Wat ik zoek is een klein gitaartje, voor mijn broertje,' zei ze met een zeemzoete stem die mij rillingen gaf tot in m'n fluit. 'Dan moet je dit hebben,' zei ik, en ik wees op een klein gitaartje dat ter bezichtiging aan de muur hing. Ze aanschouwde het, alsof het een diamant was ter waarde van 40.900 dollar. 'Kan je er ook akkoorden op spelen?' vroeg ze. 'Helaas niet,' zei ik, 'en dat vind ik persoonlijk een enorm manco. Echt enorm.' 'Wat is een manco?' vroeg ze. 'Iets wat mankeert,' zei ik. Ik schep graag op met m'n kennis. Wat moet een Vlaamse boerenjongen anders? 'Nee, zo'n gitaartje koop ik maar beter niet,' zei ze, 'ik denk dat ik een speeldoos voor hem koop.' Ze maakte aanstalten om weg te gaan, wat mij verdroot. 'Mag ik je naam weten?' vroeg ik. Als je de naam weet van een meisje weet je toch al iets. Een naamloos meisje zegt me niet zoveel. Ik heb er 'ns eentje gekend. Trut.

'Nancy,' zei het meisje in de gitaarwinkel. Ik noteerde de naam op de achterkant van een stukje wc-papier dat ik altijd bij me heb, voor het geval dat ik in het bos moet schijten. Ze gaf me tevens haar adres en het telefoonnummer van haar ouders. 'Niet bellen midden in de nacht,' zei ze nog, waarna ze wegging, nadat ik haar ook het telefoonnummer van míjn ouders had laten noteren.

De oplettende lezer zal de episode in de gitaarwinkel inmiddels werkelijk spuugzat zijn, zo spuugzat dat hij tegen z'n vrouw zegt: 'Nu ben ik het spuugzat', zodat we vaart maken. Ik nam twee gitaren van een rekje, waarbij ik er voor de freaks bij kan vermelden dat ze van het Duitse merk Adolf waren, en zei tegen Jules L'Esplanadepleijn: 'Morgen kom ik met de aanbetaling.' 'Zeer goed, Patrick,' zei hij verstrooid. Het viel op dat hij me verwarde met een zekere Patrick. Wie kon deze gozer zijn? Mijns inziens Patrick Van Pink, een in Hamme nogal bekende gitarist bij de popgroep The Smaragdgreen Hoppers. Ze hadden één singletje uit, 'Thank You When You Kiss Me', dat meegezongen kon worden door eenieder. Ze gingen drie jaar later uit elkaar, toen de bassist, Marcel Van den Bock, de loterij won en twee wereldreizen ondernam waarvan hij nooit meer terugkwam.

Ik ging naar buiten met mijn beide gitaren. Mijn fiets was

gestolen. Ik werd witheet van woede en riep: 'Wie heeft dat gedaan?' Het antwoord bleef uit, hoewel een voorbijganger zei: 'Ik niet.' Daarna vervolgde hij z'n weg. We zullen te nimmer weten waarheen. Misschien naar huis, daar het etenstijd was. Nu moest ik zelf te voet naar huis, met die twee Adolfs onder m'n armen. Ik zie me daar in mijn gedachten nog steeds lopen, jong en knap. Ik voelde de honger knagen. Ik had zin in een boterham met zwoerd. Bij ons thuis maakten ze het zwoerd nog zelf. De damp sloeg ervan af. Ik heb later op mijn talloze omzwervingen veel zwoerd gegeten, maar nooit zo lekker.

Le machiniste se trouve sous le train. Dit even tussendoor, om mijn lezerspubliek erop te wijzen dat ik een aardig mondje Frans spreek. Nu weer terug naar ons spannende verhaal over mijn muzikale geschiedenis. Ik kwam thuis. 'Wat zijn dat daar?' vroeg mijn vader. 'Een paar gitaren, wat anders, eikel,' zei ik. 'Gooi ze maar weg,' zei hij, 'of ik geef je een pak rammel.' Ik sloeg hem neer. Dat had ik nooit eerder gedaan, maar ik zeg altijd: je vader slaan, eens moet je ermee beginnen. Mijn moeder kwam naar buiten, de schat. Ze bemiddelde op zo'n manier dat m'n vader en ik als vrienden uit elkaar gingen: ik naar m'n kamer, hij naar de stal, waar een koe de kinkhoest had.

En zo werd het generatieconflict tussen mijn vader en mij eindelijk opgelost. Niet dat hij me ging steunen in mijn muzikale ambities, maar het gemor, dat vroeger zo kenschetsend was geweest, bleef uit. Dat vind ik goed. Ik ben... Of nee, laat maar. Mijn vader gaf me zelfs een andere fiets. Een tweedehandsfiets die had toebehoord aan onze hoeveknecht Jef Van Dokkes. Die durfde niet meer met de fiets te rijden sinds hij tijdens zijn laatste ritje geheugenverlies had geleden en niet meer wist hoe je dat doet, rijden met de fiets. We legden het hem uit. Maar neen, hij kon het niet onthouden. Sindsdien deed hij alles te voet. 'Eerst je ene voet naar voren en dan je andere, Jef,' zeiden wij. Hij schreef het op zijn hand. En zo wist hij nog vele kilometers te vermalen, tot hij zou overlijden aan een soort ziekte.

Mais le voyageur se trouve sous le train aussi. Ik had dus twee gratis gitaren, want Jules L'Esplanadepleijn dacht dat ik een Patrick was. Nou, dan moest hij zijn poen maar bij zo'n Patrick vangen, en niet bij mij. Nu was het de kwestie om a) de ene gitaar te verkopen en b) op de andere zodanig te oefenen dat Jimi Hendrix wel kon inpakken, de vorte junk. Verkopen, verkopen, maar ja, aan wie? Ik wist het! Aan Patrick Van Pink. Die had misschien geen Adolf, en zou er aldus mogelijkerwijs eentje willen scoren, of zag ik dat verkeerd? Dat zou de toekomst uitwijzen. Eerst maar die boterham met zwoerd. Ik vroeg er een aan mijn moeder. De lieverd gaf er me twéé. Tjonge, je had ze moeten proeven. Ik bedankte mijn moeder door haar over het bolletje te aaien. Liefdevol bekeek ze mij. Ze was een fantastische vrouw. Dag, mama in de hemel. Ik hou erg veel van jou, tot ik zelf dood zal zijn, en lang daarna. Tevens stuur ik bij deze vele groetjes van mijn echtgenote Tania, die ook fantastisch is, en hopelijk vanavond vroeg thuiskomt. Ontroerd besloot het idool van velen dit hoofdstuk te besluiten, en zijn pen te scherpen voor het volgende hoofdstuk, waarmee hij, indien nodig, nogmaals zou bewijzen dat de Nederlandstalige literatuur zonder hem niet zou kunnen voortbestaan.

5

De verkoop

Met m'n ene Adolf onder m'n arm fietste ik naar het adres van Patrick Van Pink, die nog bij z'n ouders in de Moerheide woonde. Dat was een ruig buurtje indertijd. Het gebeurde dat je voorbij een boerenerf reed en dat je opeens een handvol varkenspoep in je nek voelde. Mij is het nooit overkomen doch degenen die het wel meemaakten zal je de kost moeten geven. Krijg de tering, zeg. Ik stalde m'n fiets tegen de gevel van de Van Pinks en ik klopte aan. Zou het kunnen zijn dat Patricks stiefzusje opendeed, de geadopteerde Kazachstaanse Jirsipuu? Een naam als een mondpuist. Daarom noemde iedereen haar Nathalie. Nathalies zijn altijd erg geil. De Nathalies die ik in m'n leven heb gekend, je zou ze in een telefoonboek kunnen opnemen. Later zal ik over hen een mémoire schrijven, verfraaid met haarlokken, want er was een periode waarin ik van ieder meisje wier spleet ik likte een haarlok afsneed. 'Voor in m'n plakboek,' zei ik, en dat dat boek plakte, daar mag je zeker van zijn.

Nathalie Van Pink... Ja, het meisje dat haar trieste lot in Kazachstan had kunnen ontvluchten nadat haar echte ouders haar illegaal hadden verkocht aan een mensenhandelaar die haar naar Europa smokkelde door haar te vermommen als een etalagepop, en dat op die manier bij de Van Pinks was terechtgekomen, die na Patrick zelf geen kinderen meer konden krijgen, omdat de kut van mevrouw Van Pink langzaam dichtgroeide (je zal het maar meemaken), en toch nog wel een dochtertje wilden, om dat te zien opgroeien in een leuke omgeving... Hoe ruig ook, en de varkenspoep buiten beschouwing gelaten, de Moerheide was inderdaad een leuke omgeving. Je kon er hazen vangen zoveel je wenste. Een lekkere haas op tafel, je moet al bijna een vegetariër zijn om daar neen tegen te zeggen. Ik heb m'n haas het liefst met rode bessen en aardappelkroketten. Bij voorkeur de bil. Een nier is ook goed. Als ik het maar in m'n bakkes kan steken. Ik ben niet kieskeurig wat voedsel betreft, of je moet zwoerd meerekenen. Bijvoorbeeld een stuk cake dat al drie dagen in de wandkast ligt. Geeft niets. Hier dat stuk. Met een dampend kopje groene thee erbij. Hoe ik het allemaal binnenkrijg, Joost mag het weten. Waar is de tijd dat ik nog, in plaats van thee, een dozijn whisky-cola's naar binnen gooide? Nostalgisch kijk ik erop terug. Er gaat niets boven met een stuk in je kloten een wijf lastigvallen tot ze haar onderbroek uitdoet. Voor altijd voorbij. Ik klopte aan. Terwijl ik stond te wachten probeerde ik de Adolf uit. Ik trachtte met name 'Wooden Heart' van Elvis Presley te spelen. Het lukte me niet. Noem mij iemand die zwaar overschat is, en ik wijs je Elvis Presley aan. Oké, hij heeft drieënzestig nummer 1-hits gehad, maar moet ik daarvan achterovervallen? Als je er 'ns goed over nadenkt wel eigenlijk. Drieënzestig nummer 1-hits. Je moet het maar doen. Ik heb maar met twaalf boeken nummer 1 gestaan, dus bescheidenheid is hier wel op z'n plaats. En bescheiden ben ik. Ik ben soms zo bescheiden dat ik me schaam om tegen iedereen die het horen wil te verkondigen dat ik de beroemde auteur Herman Brusselmans ben. Het valt voor dat, als iemand mij vraagt: 'Ben jij de beroemde auteur Herman Brusselmans?', ik antwoord: 'Dat zou je wel willen, zeikerd.' Mensen proberen altijd in de nabijheid van beroemde medemensen te vertoeven. Sinds ik beroemd ben heb ik nooit meer alleen in de bus gezeten. En elkaar maar aanstoten en fluisteren: 'Kijk, daar zit hij, met die zonnebril op en die sigaret achter z'n oor.' Op den duur zou je nog nalaten een sigaret achter je oor te steken, puur om van dat gefluister af te zijn. Komt er nog wat van? Ik kon daar wel staan kloppen tot ik een ons woog. Eindelijk werd de deur geopend. Het was niet eens Nathalie die daar stond, maar Patricks moeder Marcella. 'Is Nathalie thuis?' vroeg ik. Ik kon evengoed de gitaar aan Nathalie verkopen. Die Patrick mocht dan geen Adolf hebben, hij had alleszins gitaren genoeg, de opschepper. Elke keer als hij optrad met The Smaragdgreen Hoppers gebruikte hij er drie. Sommige nummers speelde hij met de ene, andere met de tweede, en de slow 'Remember Me This Evening' met de derde. Wat een lul. 'Nee,' zei Marcella, 'Nathalie zit te mediteren in het bos.' 'Dan vind ik haar wel, Marcella,' zei ik. 'À propos, er hangt varkenspoep in je haar.' 'Dat weet ik,' zei ze. We namen afscheid en ik reed naar het bos. Ik wist welk bos het was. Het was het bos waarin de Rode Kapel stond. Bij de beeltenis van Maria werd vaak gemediteerd, gebeden en al dat soort troep. Zelf ben ik ook katholiek. Ik ga ter misse zo vaak ik kan. Vaak kan ik niet. Het duurde niet lang of ik zwenkte het bos in. Het was nog behoorlijk uitkijken met al die bomen. Ik zou de eerste niet zijn die tegen zo'n boom reed. De recordhouder was Jef Van Dokkes met zestien keer. En dan spreek ik over de tijd dat hij nog wist hoe je moet fietsen. Vanuit de verte zag ik reeds het geknielde silhouet van de biddende Nathalie. Achter haar neigde de zon naar de kim. Zeg ik dat goed? Neigde de zon naar de kim? Klopt dat? Ik las het alleszins in een dichtbundel van Hugo Claus. Daar stond: 'Zon neigde naar kim / Clijsters sloeg bal met spin'. Het rijmde niet eens. Hugo Claus is te oud geworden voor modernistische poëzie, vind ik. Desondanks blijft hij onze grootste auteur. Jammer dat hij z'n eigen gat niet meer kan afkuisen. Waar zat ik? Nathalie had me zien aankomen. Als ze me al niet herkend had liet ze het alleszins niet blijken. 'Dag Herman,' zei ze. 'Dag

Nathalie,' wist ik er ternauwernood uit te brengen. 't Was me het mooie meisje wel. Ik legde m'n fiets aan de rand van de beek. Hopelijk zou m'n fiets er niet in glijden. Ik heb altijd schrik voor zulke dingen. Bijvoorbeeld ook dat m'n brom-fiets in de beek zou glijden, of, vele jaren later, mijn motor-fiets. Het ergste denkbeeld is dat ik zelf in de beek zou glij-den. Spartelend in het water zou ik roepen: 'Help! Ik kan niet zwemmen! Ik heb het nooit geleerd!'

Wat was en ben ik, hoewel ontmaagd, verlegen met meis-jes. Ik stond daar maar wat te schutteren met die gitaar on-der m'n arm. Op den duur legde ik hem op de grond, vol-doende van de beek verwijderd. Dat m'n gitaar in de beek zou glijden zou helemaal het toppunt geweest zijn. Op een natte gitaar kan je niet spelen. Dat heb ik eens gelezen in een stuk-je krant dat wegwoei doch dat ik nog net kon grijpen. Het was op een winderige dag die in mijn geheugen ik zal niet zeggen een prominente plaats inneemt. Verveel ik niet? Ik geloof van niet. Misschien kwam er nog seks van tussen Na-thalie en mij. Dat viel nog te bezien. Geen van ons beiden maakte aanstalten om alvast iets uit te trekken. Waarom niet m'n onderbroek? Eerst wilde ik echter een gesprek aankno-pen, waarvan de woorden zich slechts moeizaam aandien-den. 'Ik dacht: ik zie haar daar zitten,' zei ik, 'dus ik kan even-goed naar haar toe fietsen.' 'Ik zat wat te bidden,' stamelde Nathalie, die me ook niet meteen de zelfverzekerdste griet in het Waasland leek. 'Wat bad je?' vroeg ik. 'Een gebed tot Ma-ria,' zei ze. 'Maria is mijn favoriete figuur,' zei ik, 'vooral als je bedenkt dat ze de Moeder Gods was, en wat voor een. Ik zal nooit het beeld vergeten van die keer toen ze onder het kruis zat te wenen, dol van verdriet omdat haar zoon daar hing af te zien. Afzien dat die zoon deed! Je kunt je niet voorstellen hoe die afzag. Tsjoelala tsjoelala... Excuseer, ik moest even aan een lied denken. Wat draag je een mooie jeansbroek, Na-thalie.' 'Dankjewel,' zei ze en voor het eerst die dag zag ik pretlichtjes in haar ogen verschijnen. Enige sproetjes sierden haar neus. Haar oren stonden fier rechtop en haar mond was als een gulzige bron der lafenis. *Aussi les bagages se trouvent sous le train.* Maar ik had het over die gulzige bron der lafenis. Voor zover ik daar kijk op heb. Ik kan er maar beter over zwijgen en het commentaar erop overlaten aan mensen die meer verstand hebben van een gulzige bron der lafenis dan ik. Haar gitzwarte Kazachstaanse haar prijkte in een lange vlecht op haar hoofd. Ik stelde me voor hoe ik Nathalie aan die vlecht zou rondslingeren en dan de vlecht los zou laten. Hoe ver zou zo'n Nathalie vliegen? Ik gok op een meter of tien. Het zou van haar gewicht afhangen, ja zelfs van haar soortelijk gewicht, veronderstel ik. Kortom, ik was geil op haar. Ik zag in gedachten mijn penis reeds in haar vagina verdwijnen. Ik zou haar liefjes toefluisteren: 'Op en neer, op en neer, ja steeds op en neer, keer op keer', tot ik een orgasme zou krijgen dat zou vertrekken vanuit m'n ballen en zo rechtstreeks, zonder omwegen, bedoel ik, naar m'n lul. Ten slotte zou het uit m'n eikel spuiten, tot in Nathalies onderbuik. Shit, was me dat neuken. In werkelijkheid stond ik inmiddels nog steeds bij haar te zoeken naar woorden die enige indruk op haar zouden kunnen maken. 'Ik heb eens een konijn gered dat aan het stikken was in een wortel,' zei ik. 'Het arme dier...' zei ze. Ze leek me een meelevend type. Die vind je heel zelden. De mens is fundamenteel slecht. Ja, ook Nathalie, hoe meelevend ze ook mocht zijn. Ik moest me inhouden of ik zou haar een mep hebben gegeven die haar in de beek deed glijden. Ik wist nochtans m'n kalmte te bewaren en zei: 'Beetje bij beetje haalde ik de wortel uit z'n keelgat. Zodat alles nog goed afliep.' Was het met bewondering dat ze naar me staarde? Hoeveel zou ze voor de gitaar willen betalen? Had ze geld? Waar zou zo'n jong mokkel als zij geld vandaan halen? Verkocht ze haar lichaam in de haven? Welke haven? In Hamme hadden we geen haven, hoewel Schelde en Durme er samenvloeien. Iedere Hammenaar zal dat bevestigen. Ik blijf dat dorp steeds in m'n hart dragen. Als ik in de krant een bericht lees over iets wat in Hamme is gebeurd lees ik het met grote belangstelling. Gisteren nog. 'Fietsendief in Hamme nog steeds op vrije voeten' stond er. Tsjoelala tsjoelala. Excuseer. Het is een fout die ik al meermaals in m'n boeken heb gemaakt: beginnen te zingen. 'Kom je hier vaak?' vroeg Nathalie. Ik dacht in mezelf: heb jij daar zaken mede, polderhoer? 'Ja, vaak,' zei ik, 'hoewel vaak, wat is vaak, een keer of pak 'm beet zes, zeven de laatste paar jaar. Zoiets.' Ik hoorde de klapwiek van de sperwer. Ik keek omhoog. Daar vloog hij, fier als geen ander dier ooit. Ik ben gek op sperwers. Met hun leuke koppie. Als ik ooit zou terugkomen als een dier, dan het liefst als een staande teckel. Ja, ik zal me daar zeker terugkomen als een sperwer. En dan uit de lucht geschoten worden en ten gronde stuiken met m'n reet vol hagel. Dan ken je mij nog niet. 'Ik bijna elke week,' zei Nathalie. Nou ja, elke week, wat ben je ermee. Er kwam een bries opzetten. Inderdaad, Nathalie was een Kazachstaanse, laten we dat vooral niet vergeten. Ik was het al bijna vergeten. Het is kwart voor zes. Dat zeg ik erbij omdat ik om zes uur ergens heen moet. Waarheen, dat is van totaal geen belang. Hopelijk blijft m'n kaak niet te lang gezwollen. Een Kazachstaanse, welzeker. Ze was hoe dan ook redelijk verwesterd. Zo rook ze naar vanille. Die geur doet me altijd denken aan de Ronde van Frankrijk. Verder droeg ze een Rodania-horloge om haar pols, en halfhoge hakjes onder haar schoeisel. Tot ziens. Zo, ik ben terug. Zo'n gezwollen kaak, daar hou ik niet van. We moeten echter verder, naar waar de pen ons brengen zal. 'Elke week lijkt me wat overdreven om te bidden,' zei ik. 'Religiositeit moet beleefd worden zonder dat de interactie tussen de materie en de geest te groot wordt. Als het te complex is mag je het gerust zeggen. Godsdienst, dat is allemaal goed en wel, zolang we de waarden van het westerse denken maar in ere houden. Moet je geen gitaar kopen?' Ik wees op de Adolf. Ze keek ernaar. 'Nee,' zei ze, 'm'n broer heeft drie gitaren en daar mag ik soms op spelen.' Natuurlijk! Dat ik daar niet bij had stilgestaan! Geniaal in z'n eenvoud. 'Ben je niet beter af met een eigen gitaar, Nathalie?' zei ik. 'Ik speel eigenlijk niet graag gitaar,' zei ze. Wat was dit een kieken van een wijf. *Quelle moche putain.* Langzamerhand begin ik toch wel erg goed Frans te schrijven. Als m'n boek af is zal ik het zelf vertalen en het manuscript opsturen naar Editions Sapolard, te Parijs. Die geven al jaren veelbelovende auteurs uit. 'Waarom niet?' vroeg ik. 'Omdat m'n vingers dan pijn doen,' zei ze. Ze liet haar vingers zien. Ik werd daar hitsig van. Ik nam deswege een van haar vingers en stak die in m'n neus. Ze liet 'm zitten. Wat een hete brok. Ik zoende haar in haar nek, terwijl ik m'n erectie tevoorschijn haalde. En toen voltrok zich de seksuele situatie die van mij een volleerd minnaar maakte. Wat we uitspookten in dat bos, daar zou een pornograaf een blos van krijgen. Nahijgend rookten we vijf sigaretten. Ik drie en zij twee. M'n pakje was nu wel leeg. Dat moet je ervoor overhebben. 'Omdat je zo'n fantastische minnaar bent,' zei ze, 'koop ik je gitaar toch. Hoeveel vraag je ervoor?' 'Vierduizend,' zei ik. Ik had evengoed over achttienduizend en de gebroeders Gonzales kunnen beginnen, maar ik vergat het simpelweg. Ze haalde een bundel geld uit haar achterzak en pelde er vier briefjes van duizend af. 'Waar haal jij zo veel geld vandaan?' vroeg ik verbaasd. Ze glimlachte de glimlach die alles duidelijk maakte. 'Ondeugend meisje,' zei ik. Een goede verstaander heeft maar een half woord nodig. Hoofdschuddend stak ik het geld in mijn zak en vertrok, nog steeds hoofdschuddend.

6

De mislukking

Ik zat in m'n kamertje met m'n Adolf op schoot. Ik besloot mezelf gitaar te leren spelen, zoals George Harrison. Wie herinnert zich niet de beroemde foto van hem toen hij op z'n kamertje zat, met z'n gitaar op schoot, klaar om te leren spelen? George is m'n grote idool omdat hij net als ik een leuke jongen was. Vele beginnende gitaristen zweren bij Eric Clapton, maar wat weinigen weten is dat hij z'n moeder sloeg met een hockeystick. Zij speelde hockey. Verder is over haar weinig bekend, behalve dat ze ooit 15 pond won met de paardenrennen. Kan je geloven dat ik het pondteken niet op m'n toetsenbord heb? Mocht ik tijd hebben, ik zou daarover een woedende brief sturen naar Microsoft. Zo'n toetsenbord kost niet al genoeg poen en dan is het nog gebrekkig ook. Vele mensen nemen aan dat ik intussen erg rijk ben, maar daar zou ik geen geld op inzetten. De literatuur ligt plat op z'n gat. Ik denk er zelfs aan om met schrijven te stoppen en het opnieuw in de muziek te proberen, doch hierover meer, later in m'n carrière. Verder is George Harrison rechtshandig net als ik, en was hij, eveneens net als ik, een angstige, zoekende ziel. Hij wordt smalend de vierde Beatle genoemd, terwijl ik hem met voorsprong de belangrijkste Beatle van allemaal vind, John Lennon buiten beschouwing gelaten. Wat weende ik langdurig toen John werd neergeschoten door Mark Chapman. M'n moeder vroeg: 'Huil je zo erg, jongen, omdat John Lennon is doodgeschoten?' Door m'n tranen

heen bekeek ik haar en ik zei: 'Ja, ma.' Dat zal ik nooit vergeten.

Jezelf gitaar leren spelen, allemaal goed en wel, maar hoe
doe je dat? Ik werd er erg gestrest van, en om even uit te
waaien besloot ik een wandeling te ondernemen in ons dorp,
Hamme. Dit dorp ontstond in de dertiende eeuw toen het
zich afscheurde van Dendermonde. De eerste burgemeester
was Willibrord Van Hamme, die aan de bevolking vroeg:
'Hoe zullen we ons dorp noemen?' Allerlei suggesties borrel-
den op, van Trollebeke tot Poelegem en Nieuw Amsterdam.
'Oké, Poelegem is uitstekend,' zei de burgemeester. 'Niets
daarvan,' zei z'n vrouw, 'we noemen het naar een belangrijk
persoon.' 'Wie dan?' vroeg haar man. 'Onze zoon Pieter,' zei
ze. 'Oké, Pietergem zal het zijn,' zei Willibrord. En aldus
heette Hamme eerst vier eeuwen Pietergem tot het in de ze-
ventiende eeuw bij een herstructurering herdoopt werd tot
Hamme. Niemand weet precies waarom, al hadden sommi-
gen een idee, wat me veel te ver zou leiden. Ik liep via Theet
naar de Hooirt, waar ik op m'n stappen terugkeerde en richting Kraneplas liep, om zo in de Weverstraat uit te komen.
Daar woonden verschillende mensen, en je vraagt je natuurlijk af wie allemaal. Het waren er te veel om op te sommen. Ik
zal me beperken tot Tuur de Marechaal, die op nummer twee
woonde. Tuur werd geboren in 1896, tijdens de grote novemberstaking. Alle mijnwerkers bleven boven en alle piloten
beneden. Derhalve staakte nagenoeg iedereen. Reeds in ja-
nuari hervatten de vier piloten hun werk, net als de 280.000
mijnwerkers. Zoveel stelde die novemberstaking niet voor.
Ze haalde niet eens het standaardwerk *De geschiedenis van de
staking*, van professor doctor Ignaas De Bolle. Goeiemiddag,
Ignaas. Je weet nooit of hij op dit moment aan het meelezen
is. Algauw groeide Tuur op voor galg en rad. Zijn vader, Serafijn, en zijn moeder, Fumée, wisten niet wat ze met de jonge knaap aanmoesten. Hem opsluiten in het kolenhok?

Hielp niet. Hem beurs meppen met een broekriem? Hielp niet. Hem vastbinden aan een boom? Hielp niet. Hem bedreigen met de dood? Hielp niet. Hem nogmaals opsluiten in het kolenhok? Dat hielp gelukkig wel, want al bij al had Tuur veel schrik voor het kolenhok. 'Het is er erg duister,' noteerde hij later op een papiertje. Het was z'n enige nagelaten geschrift. Hij was niet zo'n geletterde man. Integendeel, hij ging het leger in. Eindelijk waren Serafijn en Fumée van hem af, zodat ze konden doen wat ze altijd al hadden willen doen: 's avonds met een gerust hart naar de radio luisteren. Wat weenden ze toen Franz Ferdinand werd afgeknald! In het leger maakte Tuur snel carrière, tot hij werd gedegradeerd wegens het naaien van vrouw van de kolonel, Pierrette. Zij was één festijn van erotiek, zeker met haar benen open en haar kut zo nat als een mals regentje. Tuur verliet het leger en begon een handel in lege zakken. Dat werd zo'n succes dat iedereen een lege zak wilde. De verkoop steeg. Ik passeerde zijn huis. 'Dag Tuur,' zei ik tegen de inmiddels gepensioneerde Tuur. Hij woonde niet in een kast van een huis maar in een schamele woonst in de Weverstraat, omdat hij al z'n geld had opgemaakt aan hoeren, drank, sigaren, een Oldsmobile en aandelen in een firma die paardentrams fabriceerde. 'Dag Herman,' zei Tuur, die een saffie rookte op een stoel naast z'n deur, 'waar ben jij op weg waarheen naartoe?' Ik zei tegen Tuur dat ik zomaar een wandeling maakte, om bij te komen van het zelf gitaar leren spelen. Tuur staarde mijmerend voor zich uit, en zei: 'De klank van de edele gitaar... Die brengt me terug naar Torremolinos, 1936... Ik zat aan de bar met een *cuba libre* in m'n ene hand en een droge worst in m'n andere... De zon daalde ten zuiden van de zee...' Hij werd volgens mij melancholisch. Ik zag een muis het huis van Tuur binnen lopen. Ik kon dit diertje geen ongelijk geven, het begon buiten behoorlijk fris te worden voor de tijd van het seizoen. Ik had laatst nog een enge droom over een muis. Ik zat midden in een grote kamer m'n teennagels te knippen toen een muis binnenkwam en in m'n schoenen braakte. In allebei! Badend in het angstzweet werd ik wakker. 'Kalm, schat,' zei m'n echtgenote, die wakker was geworden door m'n door merg en been gaande gegil, 'het was maar een droom.' Ze streelde m'n penis. Het is goed om een echtgenote te hebben. Tuur ging maar door met zijn verhaal. 'Ik was verliefd op Juanita,' zei hij, 'maar zij behoorde een ander toe, Alfonso de garnalenkweker... Op een dag sloeg hij overboord van zijn schip de dieperik in, waar hij vissenvoer werd, en niet meer bovenkwam... Hij wist zich helaas te redden en zwom onder water naar het strand... Daar werd hij onthaald als een held... Juanita omhelsde hem wild... Nog diezelfde dag pakte ik m'n koffers...' Wat had die Tuur een hoop meegemaakt. Van oude mensen kan je veel leren. 'Tot ziens, Tuur,' zei ik. M'n gedachten waren een verwarde potpourri waar, als je alles op een rijtje zette, geen kop of staart aan te krijgen was. Ik vermande me en wandelde terug naar huis, om eindelijk gitaar te leren spelen. Opnieuw zat ik in mijn kamer met de Adolf op schoot. Ik plukte aan enige snaren, van plan om de intro van 'Karolientje ging eens bloemen plukken' te tokkelen, een vrij eenvoudig lied dat verhaalt hoe Karolientje na het plukken der bloemen overreden wordt en in de hemel de bloemen aan Jezuke geeft die ze dankbaar aanvaardt en ze ter zijde legt. Het is in wezen een zeer simpel lied om te spelen, maar ik bakte er niets van. M'n intro leek eerder op 'Stairway to Heaven' van Led Zeppelin en dat kan toch nooit de bedoeling zijn als je eigenlijk 'Karolientje ging eens bloemen plukken' uit je gitaar wil krijgen. Gelukkig kon ik om zes uur ophouden met oefenen, want ik moest naar de tandarts. 'Goeiemiddag, Romain,' zei ik tegen hem. Toevallig heette hij ook zo. Ik had gehoopt dat hij in mijn mond zou kijken en zou zeggen: 'Alles in orde. Wat een prima stelletje tanden, zeg.' Maar hij keek in mijn mond en zei: 'Zoiets heb ik nog nooit gezien.' Nochtans soigneerde ik mijn gebit erg goed. Ik at nooit spinazie en beet zo voorzichtig in een appel dat ik 'm evengoed kon weggooien. 'We zullen alvast met deze beginnen,' zei Romain. Hij wees een tand aan. Ik keek ernaar. Die zag er inderdaad niet uit alsof hij prijzen zou winnen. Romain boorde en boorde maar, en ik voelde m'n kaak zwellen en zwellen. Dan vulde hij en vulde hij het gat. 'Volgende week terugkomen,' meldde hij. Ik had zo'n gezwollen kaak dat ik alleen maar kon zeggen: 'Ja, oké, dat zal ik doen, Romain, tot dan, en nog een prettig weekend.' Vol pijn reed ik naar huis. Drie uur later begon de zwelling in de kaak weg te trekken en was ik toe aan een bord pap met krenten. Daarna: verder met oefenen. Als ik dan toch iets kon spelen wat leek op 'Stairway to Heaven', waarom 'Stairway to Heaven' dan zelf niet? Ik begon eraan. Het leek verdomd veel op 'Karolientje ging eens bloemen plukken'. Ik zette de lp van Led Zeppelin op om eens te horen hoe Jimmy Page het deed. Ook zijn versie leek op 'Karolientje ging eens bloemen plukken'. Dat viel me wat tegen van Page. Langzamerhand begon ik te beseffen dat als Jimmy Page al niet zo'n beste gitarist was, ik er waarschijnlijk ook nooit een zou worden. Laat staan dat ik het niveau van George Harrison zou benaderen. Het was zelfs zo dat ik langzamerhand begon te beseffen dat de gitaar misschien het verkeerde instrument voor mij was. Dat ik een mislukkeling was op de gitaar. Dat de gitaar en ik geen goede maatjes waren. Verslagen boog ik het hoofd. Ik staarde naar de Adolf. 'Wat heb jij betekend in mijn leven...?' mompelde ik. Niet veel. Ik reed naar het bos van de Rode Kapel, verkocht ook deze vermaledijde Adolf voor vierduizend frank aan Nathalie, nam afscheid van haar, en ging bij het standbeeld van Isidoor Den Drus zitten nadenken. Den Drus was een belangrijk figuur geweest in de geschiedenis van Hamme. Hij was de eerste die op het idee was gekomen om het dorp te irrigeren. Dat viel niet mee. Al dat water.

Begin er maar aan. Toch versaagde hij niet. Zijn vrouw zei, terwijl hij voor de zoveelste keer aan het irrigeren was, 'Isidoor, wat doe je?' Isidoor antwoordde niet. Hij was een man van weinig woorden. Je hebt van die mannen. Daartegenover heb je mannen van veel woorden. Ver moeten we niet zoeken. Albert Den Drus, ja ja, de broer van Isidoor, was er zo een. Als hij wilde zeggen: 'De kaas is op,' zei hij in plaats daarvan: 'De kaas werd ontdekt in 2000 voor Christus.' Dan volgde een verhaal van een uur of langer. Ten slotte eindigde Albert met: 'Hij is op.' Waarom vertel ik dit allemaal? Omdat ik een loser ben die niets beters te bieden heeft. Meer en meer kom ik tot het besef dat ik weinig waard ben, een stuntelende nitwit, een broekschijter, een lul, een slechte schrijver, een mislukte schepping, een man die maar beter in een hoekje kan kruipen en huilen. Daarnet zei mijn vrouw nog: 'Wat ben jij fantastisch!' Had zij gelijk? De geschiedenis zal het binnenkort uitwijzen.

Een instrument, maar hetwelk? Er waren tal van dingen op de markt. Het mocht niet te moeilijk zijn, bijvoorbeeld aartsmoeilijk. Nee, dat liever niet. De fluit! Ik zag me al lopen, fluitend en achter mij horden medefluiters, samen op weg naar de einder, waar de horizon wachtte. Een andere mogelijkheid: de harmonica. Ik zag me al lopen. Nee, dat zou niets worden. Harmonicaspelers zijn meestal enorme smeerlappen. De gevangenissen zitten vol met harmonicaspelers. Ik heb zin in tieten. Plitse pletse ermede doen. Starend tuur ik door mijn raam. De stad spreidt zich voor me open. Ik neem een trekje van een sigaret. Een orkest speelt een wals. We schrijven 1932. De jood Herman Brusselmans staat op het punt te vertrekken naar Amerika, waar hij jaren later een middel zal uitvinden tegen wondvocht. De fluit! Ik zag me al. Het drumstel! Verdikkeme, dat was het! Het drumstel! Ik en m'n drumstel, samen op de podia van de muziektempels in België en Nederland. Waar kon ik zo'n drumstel kopen? Ik liet het standbeeld van Den Drus achter en thuis diepte ik de *Zoekertjeskrant* op en al na een paar keer bladeren zag ik staan: 'Yvonne, 28 jaar, goed figuur, ontvangt aan huis, heeft ook drumstel te koop met bijbehoren', met een adres erbij. Zelfs in die tijd stond de *Zoekertjeskrant* al vol met vrouwen met een goed figuur. Ik zei tegen m'n mammie: 'Ik ga even naar de kerk, om te bidden dat ik een prima examen aardrijkskunde mag afleggen als het zover is.' M'n mammie zei: 'Heel goed, jongen, kom hier dat ik je haar kam.' Ze kamde m'n haar zoals alleen een moeder dat kan. Ik hield van haar. Ik wilde dat ze nooit dood zou gaan.

Ik reed naar het adres. Het was in een zijstraat. Ik belde aan. Zou Yvonne een leuke dochter hebben die opendeed en die op slag zo verliefd op mij zou worden dat ze alles in de steek liet en naar Parijs zou vluchten? Met mij erbij? In Parijs zou ik een baantje zoeken, waarom niet als kelner in een etablissement. '*Et pour monsieur?*' zou ik zeggen tegen een wat dikkige heer met een lui oog die ginder aan dat hoektafeltje zat. '*Un café au lait*,' zei hij. '*Certainement monsieur, n'est-ce pas.*' Zo zie je maar hoe Frans van pas kan komen. Een vrouw deed open. Onwillekeurig gleed m'n blik over haar voorkant. Ik had nog maar weinig joekels in een doorkijkblouse gezien maar deze waren wel érg groot van omvang. 'Yvonne?' vroeg ik verlegen, en ik stuikte bijkans ten gronde. Telkens als je bij een prostituee op bezoek bent ben je toch algauw een beetje zenuwachtig, inclusief zweet, beven, droge mond, dorre haarpunten. 'Ja, ik ben Yvonne,' zei ze met een fluwelen stem. 'Kom binnen,' zei ik. Zíj. Zij zei dat. Ik zei niets. Ik volgde haar de bungalow in. Het zag er op het eerste gezicht allemaal heel gewoontjes uit, doch schijnt bedriegt. Zo had ze een Matisse aan de muur hangen. Ik raapte al m'n moed bij elkaar en vroeg: 'Is dat een Modigliano?' Je ziet van hier dat ik wat van schilderen af wist. 'Nee,' zei ze vriendelijk maar resoluut, ''t is een Matisse.' 'Ah, Matisse,' zei ik, 'de chroniqueur van het dagelijkse leven.' 'Wil je wat drinken?' vroeg ze. 'Ik kom eigenlijk voor dat drumstel,' zei ik, 'maar ja, ik wil wel wat drinken. Heb je Gancia?' Ze ging op haar knieën zitten bij een barkast en begon tussen de flessen te zoeken naar Gancia. Ze had een mooi gat. Beide kaken hingen evenwichtig naast elkaar. Veel meer kan je niet eisen van een gat. Nu maar hopen dat het proper was. Dat vergemakkelijkt het eventuele de tong erin steken. 'Ja, ik heb Gancia,' zei ze. M'n hartje sloeg van bom bom bom. Een glaasje Gancia vind ik *supère*. Zo blij was ik. Yvonne schonk me er eentje in, dat ik in één klap soldaat maakte. 'Nog een?' vroeg ze. 'Vooruit met de geit,' zei ik. Ze gooide m'n glas driekwart vol en hopla, naar binnen. De alcohol verspreidde zich in m'n aderen en verder. Ik werd al iets minder verlegen. Ik installeerde me in de zetel met het derde glaasje Gancia dat Yvonne me had ingeschonken en vroeg: 'Heb jij een motorfiets?' Daar hing namelijk een helm aan een knaapje. 'Ja,' zei ze, terwijl ze zich naast mij vlijde, 'een Suzuki.' 'Een zeer goed merk,' zei ik.

7

De andere leden

'Mag ik er eens mee rijden?' vroeg ik, met een half stuk in m'n kraag. Gancia hakt er niet minnetjes in. 'Ben jij wel oud genoeg om met een motorfiets te mogen rijden?' vroeg Yvonne. 'Ach, over een paar jaar praten we daar niet eens meer over,' zei ik. Ze keek me aan met ogen vol vuurtjes en zei: 'Wat ben jij een doortastende jongen. Ik word helemaal geil van jou.' Ik neukte haar fors met een condoom. Ik haastte me, want ik wilde wel eens met die motorfiets rijden. Ik betaalde haar 500 frank voor de seks. Naar het drumstel, dat zich klaarblijkelijk in een andere kamer dan deze bevond, zou ik later wel kijken. Eerst de motor. Ik ben geboren met het motorvirus. Zelf heb ik tot nu toe vijf motoren gehad. Een MZ, een Yamaha, twee Honda's en een Buell. Joepie, hoe leuk is het geweest om ze te berijden als waren ze wilde ossen. Met van die vervaarlijke hoorns op hun toet. Ossen hoef je mij niet te leren kennen. M'n vader had ze dagelijks in z'n bestand. Eén os herinner ik me zeer goed. Hij was mijn lievelingsos. Ik had hem zelfs een naam gegeven, Greenpeace, omdat hij zo van de natuur hield. Niets ging er boven een wei vol madeliefjes voor Greenpeace. Hoe huilde ik toen hij gesluikslacht werd. Ik heb geen enkele biefstuk van hem gegeten. Wel z'n lever, want geef mij een goedgebakken lever en ik vreet me te pletter. Ja, ook in mij schuilt iets heel slechts. Op dit moment is het de drieëntwintigste augustus van 2005 en ik voel me erg beroerd, door de wederkerende angstaanvallen. Dat mogen mijn lezers gerust weten. Alles in m'n lichaam voelt als shit. Ik heb daarstraks nog een extra Xanax geslikt. M'n vrouw masseerde m'n onderbenen omdat zulks enige verlichting brengt. Maar hoe ziek ik ook mag zijn, toch moet ik gestaag verder arbeiden aan dit boek. Ik lul over ossen en madeliefjes en Suzuki's en hoeren met een drumstel en twee gitaren en ooms en tantes met negen kinderen en het is allemaal extreem gezeik, maar wat moet ik doen? Ik kan niets anders verrichten dan wat m'n geteisterde geest mij opdraagt. Nu weer een motorrit. Vooruit maar. Ik haalde de Suzuki uit het schuurtje, zette de helm op, trapte de motor aan en reed naar het marktplein, om daar in café De Kroon een glaasje pils te nuttigen. Van al die Gancia had ik dorst gekregen. 'Freddy,' zei ik tegen de baas, 'doe mij maar een pintje.' 'Jazeker, Herman,' zei hij. In die tijd was er geen wetgever die erover struikelde dat Herman Brusselmans als minderjarige een paar pintjes dronk in café De Kroon. Ik zat aan de bar in m'n bier te staren, vrezend voor de toekomst, toen Erik Van Yzer naast me kwam zitten. Hij was een klasgenoot en we hadden dezelfde denkbeelden over politiek, cultuur, muziek, architectuur, het dagelijkse bestaan, meisjes, en de noodzaak van de mens om zich te onderscheiden van alle anderen. 'Weet je wat ik zat te denken?' zei hij. Dat wist ik niet. 'Zouden we niet een groepje beginnen? Jij speelt gitaar en ik speel bas, en als we een zanger en een drummer vinden hebben we een kwartet. Dat is meer dan genoeg voor een groep.' 'Ik speel geen gitaar meer,' zei ik, 'ik ben overgeschakeld op de drums.' 'Zoveel te beter,' zei Erik Van Yzer, 'dan hoeven we alleen nog een zanger en een gitarist te vinden.' Kenden wij zangers en gitaristen die vrij waren? We dachten diep na. Leo De Roode, die was naar het schijnt een goeie gitarist. Bovendien was hij een toffe vogel, die geen woord te veel zei, ook niet als je hem tegensprak. 'Leo De Roode,' zei Erik Van Yzer. 'Mijn idee,' zei ik, 'maar hoe zit het met de zanger? Ik ken geen zangers.' Zonder zanger dan maar, besloten we. Een instrumentale groep, daar is toch niets op tegen? Zingen is voor mietjes. Er kwam een gast bij ons staan en hij zei: 'Ik hoorde per ongeluk wat jullie bespraken. Ik ben een zanger.' 'Je bent aangenomen,' zei ik. Instrumentale groepen, daar waren er al genoeg van. Denk aan The Jegpap New Orleans Jazz Band uit Dendermonde. 'Ben je een mietje?' vroeg ik. 'Nee,' zei hij. En dan toch zingen, hoe kwam hij erbij. We dronken er een op. 'Zorg jij dat Leo De Roode akkoord gaat,' zei ik tegen Erik Van Yzer. 'Ik zorg voor het repetitiekot. Er staat een koeienstal bij ons leeg. Hoe heet jij?' Dat vroeg ik aan de zanger, die z'n naam nog niet gezegd had, de onbeleefderik. 'Mohammed Mahmoud,' zei hij. Er was me al iets opgevallen aan die gast en nu wist ik het met een aan waarschijnlijkheid grenzende zekerheid: 't was een vreemdeling. Wat kon mij het schelen. Ik doe niet mee met het onderscheiden van Belgen en vreemdelingen. Plus, iemand die Vlaams spreekt is een Vlaming. Kijk er de statistieken maar op na. Na vier pintjes nam ik afscheid van de bassist en de zanger. De Suzuki was gestolen. Wie dat had gedaan kon niet op mijn goedkeuring rekenen, al had hij de Suzuki misschien meer nodig dan ik, bijvoorbeeld om dagelijks naar het werk te rijden, en 's avonds weer terug, waar moeder de vrouw wachtte. Tenslotte is het huwelijk de beste manier van concubatie. Sinds ik getrouwd ben hou ik meer van mijn vrouw dan van om het even wie. Als ik langer dan zes à acht uur van haar gescheiden ben bel ik haar op en zeg ik: 'Hallo Tania, met Herman spreek je. Kom jij maar gauw naar huis. Ik zal je opwachten en je in het oor fluisteren dat je mijn allerliefste meisje bent. Voor het eten vanavond had ik gedacht aan een bordje vol lekkers. Tot zo meteen, bieleboeleballebees.' Het heeft me heel wat denkwerk gekost om het koosnaampje bieleboeleballebees te verzinnen. Eerst had ik ballebellebullebaas, maar dat vond ik maar niks, nadat ik het had uitgetest op tien onbevooroordeelde meisjes. 'Veronderstel,' zei ik tegen hen, 'dat ik met jullie getrouwd ben en ik zeg: "Dag ballebellebullebaas", hoe zouden jullie daarop reageren?' Zes zouden verkeerd reageren en vier helemaal niet. Het juiste woord vinden is heel belangrijk, mede in een relatie tussen man en vrouw.

Hoe kon ik Yvonne ervan op de hoogte brengen dat de Suzuki was ontvreemd? Op klaarlichte dag dan nog, terwijl er overal voorbijgangers rondliepen. Was er dan niemand van hen die zag hoe die motorfiets door een verdacht sujet werd meegenomen? Niet slim van mij om het sleuteltje te laten zitten. Dommerik die ik soms ben! Dat mag je vragen aan m'n vroegere professor Engelse literatuur die me een onvoldoende gaf omdat ik niet wist waarom Shakespeare in zijn werken de stoelgang gebruikte als metafoor voor de teloorgang van het al. 'Omdat hij niets anders kon verzinnen,' zei ik, wat niet goed viel bij de professor. 'Dommerik,' zei hij. Dat liet ik me geen twee keer zeggen. 'En jij dan,' zei ik, 'met je dwaze kaalkop.' Resultaat: achtenhalf op twintig en een herexamen in september. 'Mooie pruik,' zei ik tegen de professor. Hij stelde me een vraag over de betekenis van het anale in het werk van Christopher Marlowe en ik blies hem met m'n antwoord van de sokken zonder één keer het woord 'kakken' te gebruiken. Resultaat: zestien op twintig.

Ik ging terug De Kroon binnen, keek naar het telefoonnummer dat op m'n hand stond geschreven, en belde naar Yvonne, haar toevertrouwend: 'De Suzuki is gestolen.' Ze nam het nog goed op. 'Prima,' zei ze, 'tot een volgende keer.' Mogelijk had de Suzuki niet veel emotionele waarde voor haar. Bij mij ligt dat anders. Mocht iemand m'n Buell stelen, ik zou drie dagen in bed liggen met hoge koorts, ijlend: 'Druiven! Geef mij druiven!' Yvonne wilde ophangen doch ik zei: 'Wacht nog even, Yvonne, ik wil eigenlijk dat drumstel van je kopen.' Ze lachte. 'Dat staat er maar bij in de advertentie om jonge, potente mannen aan te trekken. Drummers zijn meestal erg leuk en goed in bed. Jij bijvoorbeeld.' 'Dankjewel, Yvonne,' zei ik. 'Maar je hebt wel een kleine leuter,' zei ze. Ik hing op.

De diefstal van de Suzuki was hoe dan ook, door Yvonnes reactie, alweer een probleem minder. Dat is het leven: problemen diminueren tot er nog slechts één overblijft: de dood, en hoe die, terwijl je bezig bent met sterven, alvast te verwerken. Je kan maar beter van de ene seconde op de andere heengaan. Een vliegtuigexplosie in volle vlucht, dat lijkt me wel wat. Helaas ben ik te bang om het vliegtuig te nemen. Geef mij maar een voettocht.

Zo, ik zou dus de drummer worden van een groep. Nu moest ik wel ergens anders dan bij die bedrieglijke Yvonne een drumstel kopen. In de gitarenwinkel van Jules L'Esplanadepleijn kon je alleen gitaren beuren, geen andere instrumenten. Waar je wel een drumstel kon inslaan was in Sint-Niklaas, de middelgrote stad, bekend om z'n veelzijdigheid, z'n spinnerijen en z'n uitstraling. Vele mensen uit omliggende dorpen willen graag naar Sint-Niklaas verhuizen, maar iets, diep in hun binnenste, zegt hun: toch maar niet. Vaak is de reden dat ze eigenlijk al in een leuk huis wonen en daar in wezen willen blijven. Ik heb zo'n huis 'ns gezien. Ik vond het niet leuk, integendeel. Er hing een geur van slechtheid en verderf. Liep daar geen muis? Te nimmer nog heb ik dat huis betreden.

Ik moest de bus nemen naar Sint-Niklaas. Ik stapte in en betaalde. Een busrit tussen punt a en punt b, die zegt me niet veel. In een bus was weinig te beleven in de jaren zeventig, zelfs niet als je, zoals ik die keer, achter een vrouw kwam te zitten die zich omkeerde en zei: 'Krijg ik vijf frank?' 'Nee,' zei ik, 'dat kan ik niet doen. Ik ben de Generale Bank niet.' Ze liet haar tanden zien. Daar zat een laag op. 'Ik zal je bijten,' zei ze.

Ik stond op en liep naar de chauffeur en zei: 'Er zit een krankzinnige vrouw in de bus, die maar beter verwijderd kan worden.' Ik zei dit met klem. Ik ben een geëngageerd persoon, ook als adolescent was ik dat al. Ik nam de koe bij de horens. 'Die is het,' zei ik, 'met dat paarlemoeren collier aan.' 'Dat is mevrouw De Quk,' zei hij, 'die neemt elke dag de bus. Die is niet krankzinnig. Zij is vroeger de meid geweest in *Die Fledermaus*.' Zei die chauffeur zomaar wat of kwam er effectief een meid voor in *Die Fledermaus*? Was het overigens niet *Der Fledermaus*? Ik was niet thuis in operette, en ben het later nooit geworden. Ik vind operettemuziek erg griezelig. Ik stel me er altijd sprookjes bij voor, met mannen met uitpuilende ogen, prinsessen met een te grote neus, en klaarblijkelijk een meid. Daar zou je toch wat van krijgen. 'Het is zij eruit, of ik,' zei ik. Hij trapte op de rem. De bus stopte. 'Tot ziens,' zei hij. 'Tot ziens,' zei ik. Ik stapte uit. Ik was nu erg eenzaam, in Elversele, nog heel wat kilometers van Sint-Niklaas verwijderd. Ik stak m'n duim op. Een auto stopte. Het was een Ford Granada, een merk dat bekendstond om z'n goede vering. Ik wou dat er nog overal Ford Granada's rondreden, en Ford Consuls, en Ford Capri's. Ik stapte in. M'n chauffeur bleek een vrouw, een met een overgooier aan. Ze had een fris gewassen gezicht en een paar ogen die open de realiteit in keken. Ik bood haar vijf frank aan. 'Nee nee, dat is niet nodig,' lachte zij, 'houd jij je vijf frank maar en koop er een slappe lurre mee.' Een slappe lurre was een prima stukje snoep. Ik weet niet of ze nog bestaan. Of ja, ze bestaan inderdaad nog. Tania bracht er laatst nog een paar mee uit Melanie's World, de nachtwinkel in de Corduwanierstaat. Tevreden at ik ze op.

'Oké, zal ik doen,' zei ik. 'Waar moet je heen?' vroeg de vrouw. 'Naar het centrum van Sint-Niklaas,' zei ik. Daar moest zij ook heen. Ze wilde een lap stof gaan kopen om er een nieuwe overgooier van te maken. 'Deze ga ik inlijsten en boven m'n bed hangen,' zei ze. Ik keek naar de overgooier. Zelf zou ik 'm in vodden snijden en, als het wc-papier op zou zijn, er m'n aars mee afvegen. 'Hoe heet je?' vroeg de vrouw. Ze wilde een gesprek beginnen. Voor mij had er evengoed stilte mogen heersen in de Granada. 'Herman Brusselmans,' zei ik. Wie had toen kunnen denken dat die naam vele jaren later harten aan het bonken zou brengen? 'En jij?' vroeg ik. 'Jozefien Artis,' zei ze. 'Zoals de dierentuin in Amsterdam,' besloot ik. 'Ja,' zei ze, 'maar ik ben geen familie.' 'Van wie?' vroeg ik. 'Van Cees Artis, die de dierentuin stichtte,' zei ze. Ze leek veel te weten over dierentuinen. Je hebt van die mensen, die over één onderwerp nagenoeg alles weten, en over vele onderwerpen zo goed als niets. 'Cees Artis begon klein,' zei ze, 'met een borrie.' 'Wat is dat, Jozefien?' vroeg ik. Ik had er nog nooit van gehoord. 'Een soort kameleon,' zei ze, 'alleen verandert hij niet van kleur maar van gestalte. Ze zijn moeilijk te houden in gevangenschap. Meestal plegen ze zelfmoord door veertig dagen niet te eten of te drinken. Ze zijn natuurlijk al na een dag of twintig dood.' Dan was ik eigenlijk liever in de bus blijven zitten, bij mevrouw De Quk. 'In het wild voeden ze zich met vruchten die andere dieren niet willen,' ging ze door, 'en dan vooral ipkeba's. Een kruising tussen een bes en een meloen. Toen ik in Afrika was heb ik er een geprobeerd. Als het regent heb ik er nog last van.' Pas nu viel me op dat ze een zenuwtrek had in haar oor. Nu en dan kwam haar trommelvlies piepen. Erg vies. Toch kon ze uitstekend horen. Ze had nog geen enkele keer wablieft gezegd. Het was een slechte vrouw. Dat kon ik voelen. Ze was goedlachs en communicatief, en straalde een en al eenvoudige menselijkheid uit, maar schijn bedriegt. Ik zou niet in de schoenen van de kinderen van zo'n vrouw willen staan. Wat zou ik m'n moeder haten, en daar de gevolgen van dragen.

'Ik ken ook een zeldzaam dier,' zei ik, 'althans bij ons

thuis. De parkiet. We hebben er maar eentje, sinds z'n broertje, Snuffel, gestorven is.' Ik heb in m'n oeuvre nog weinig
over Snuffel geschreven, omdat elk woord over hem oude
wonden openrijt. Ik was het die hem vond op z'n ruggetje.
Hij ademde nog nauwelijks. Ik haalde hem uit z'n kooitje en
gaf hem Primperan. Dat hielp niet. Ik gaf hem Otrivine.
Hielp evenmin. Toen stierf hij. Ik heb zeker drie dagen naar
geen andere parkiet kunnen kijken zonder in te storten.

We waren nog steeds niet in Sint-Niklaas. Hoe traag reed
die Jozefien. Ik bedacht: als ik zo'n drumstel koop, hoe moet
ik het dan naar huis transporteren? Een gitaar neem je onder
je arm mee, een drumstel niet. Daarvoor zou een oplossing
gevonden moeten worden, en die zóu gevonden worden
ook, of ik zou geen Herman Brusselmans heten en geboren
zijn op 9 oktober 1957. 'Mag de radio niet even aan?' vroeg ik.
Ze duwde op een knop. Daar had je Roxy Music, een beginnende groep. Ik floot mee met hun hit. 'Jij kunt flink fluiten,'
zei Jozefien. 'Ik heb een muzikaal gehoor,' zei ik, 'dat zit in de
familie.' Daar kon ze het mee doen. Ik zou me haasten om
over mijn grootmoeder, tante Paula en tante Frieda te beginnen. Ik schrijf al over hen in dit boek, en dat is meer dan vol-
doende. 'Ken jij een synoniem voor "straatmarkering"?'
vroeg ik aan Jozefien. Ze dacht na. Het nadenken van andere
mensen vervult mij dikwijls met irritatie. Dat ze het nadenken maar aan mij overlaten. 'Nee,' zei ze ook nog. Zie je wel
waar al dat nadenken van anderen toe leidt. Nu, al die jaren
later, heb ik nog steeds niemand ontmoet die me een synoniem voor 'straatmarkering' aan de hand heeft kunnen doen,
zoals buurman Alfons deze week nog ondervond. Dat hij het
opzoekt in een woordenboek. Plus, misschien bestaat er niet
eens een synoniem voor 'straatmarkering'. Misschien bestaat het woord 'straatmarkering' niet eens. Misschien is alles slechts een droom, een kwade droom, vol gebrek aan eeuwige goedheid.

Ik hield op met fluiten. Nu was er een lied van een zanger of een groep die ik niet kende. In het refrein werd gezongen over een jongen die, als m'n inmiddels vergaarde kennis van het Engels me niet bedroog, z'n sokken aanhield op het strand. Ik had veel medelijden met hem. Hij wilde zich niet barrevoets vertonen aan vreemde mensen, en dat kan ik begrijpen. Soms heeft een mens alleen z'n blote voeten over om zich waardig te voelen. Het is aan te bevelen dat hij ze bedekt als er anderen in de buurt zijn. 'Heb je een meisje?' vroeg die verschrikkelijke Jozefien. 'Ja,' zei ik, 'ze heet Nancy en ze is het mooiste meisje dat ooit een winkel heeft betreden.' Ik dacht aan het papiertje in m'n portefeuille waarop de naam, het adres en het telefoonnummer van Nancy genoteerd stonden. Ik dacht aan haar als aan een wilde klaproos. Haar dikke, blonde haar wappert in de wind. Ze draagt een bikini van fijne stof. Vroeger droeg ze een bikini van ruwe stof, doch daar kreeg ze uitslag van. Op school heeft ze goede cijfers. Als beloning zei haar moeder: 'Nancy, jij krijgt een nieuw stuur voor je fiets.' Nancy juichte. Dat gejuich klonk me als muziek in de oren. Ik floot deze muziek mee. 'Ja,' zei Jozefien, 'jij kunt heel flink fluiten.'

Eindelijk bereikten we de stadsgrenzen van Sint-Niklaas. We zaten verdomd in een file. Voor ons stond een Opel Commodore. Wat een mooie wagen. Maar niet zo mooi als de Simca-Chrysler 1600 die m'n vader had, in een lichtblauwe kleur. Het dashboard was geribbeld. Jozefien maakte van de file gebruik om door te gaan met vragen stellen. Nu vroeg ze weer of ik aan sport deed. 'Voetballen,' zei ik, 'maar door m'n angstaanvallen lig ik dit seizoen stil.' Over die angstaanvallen wilde ze verder niets weten, wat goed was, want ik wil ze stilhouden. Ooit hoop ik het grote angstaanvallenboek te schrijven, onder de titel *In de vijfde hoek*. 'En jij? Doe jij aan sport?' vroeg ik. Je had in de jaren zeventig vrouwen die aan sport begonnen te doen. Allemaal de schuld van het feminisme. En die ballen maar in het net slaan of naast het doel gooien! En maar meer dan 14 seconden lopen over de honderd meter! En maar van dat paard vallen! 'Ja,' zei die Jozefien natuurlijk, 'ik roei.' Roeien godbetert. En die spaan maar in het water laten glijden! Ik schudde ongemerkt m'n hoofd, voor mezelf de afkeer voor roeien uitdrukkend. Ik hou niet van boten, punt uit. Elk voertuig zonder wielen vind ik belachelijk. Dan kan je net zo goed op een strijkplank gaan zitten en je de berg laten afglijden. Allemaal goed en wel, maar hoe raak je de berg weer op? 'Komt er heel wat bij kijken, bij dat roeien?' vroeg ik aan Jozefien terwijl ik haar eigenlijk het volgende had willen vragen: 'Wat zou je ervan denken als ik je neus breek?' Ik ben nooit agressief tegen vrouwen, maar vaak scheelt het niet veel. Zo'n Jozefien, dat is toch typisch zo'n wijf dat je het bloed van onder de nagels haalt? Met dat roeien. Let op, het had nog erger gekund. Je hebt ook vrouwen die, net als mannen, voetballen. Tjonge, een vrouw zien voetballen, dat is een blik werpen in de hel. Ooit ben ik één keer naar een vrouwenvoetbalwedstrijd geweest, omdat mijn nichtje Sylvia, de vierde dochter van tante Frieda en oom Theo, meedeed. Zij droeg het rugnummer 6. Het team waartoe zij behoorde heette De Sint-Anna's en ze namen het op tegen De Huisvrouw Lady's, een ploeg van drie straten verder, die louter bestond uit vrouwen met spataderen. 'Hup, Sylvia, hup!' riep ik, want het blijft tenslotte je nichtje. Verder was het een schouwspel dat je je ergste vijand niet toewenst. De einduitslag was 19-0 voor De Sint-Anna's en toegegeven, dat was verdiend.

'Ja,' zei Jozefien, 'je moet fysiek helemaal in orde zijn en tevens moet je proberen één te worden met het water en...' Ik kon het niet meer uithouden met haar en ik zei: 'Laat me er hier maar uit.' 'We zijn nog niet in het centrum,' stribbelde ze tegen. 'Nee,' zei ik, 'maar ik wil een eindje lopen, voor mijn bloeddoorstroming. De dokter zei dat die bij mij niet al te best is. Van te veel zwoerd eten, wat dan weer wel goed is voor de sluitkracht van je anus. Zo is het altijd wat. Bedankt en tot ziens.' Ik stapte uit.

8

M'n drums

Het was nog een kilometer of vier lopen. Die legde ik af terwijl ik over allerlei dingen nadacht die te maken hadden met m'n leven. Daar zaten heel triviale gedachten bij, van het genre: wat zou er van m'n teddybeer geworden zijn die ik na 9 maart 1962 nooit meer heb gezien? Ik heb m'n grootmoeder er altijd van verdacht dat ze hem heeft weggeschonken aan de Parochiale Werken, een door de kerk gesubsidieerd instituut dat allerlei voorwerpen vergaarde om ze naar de arme kindjes te sturen. Al jaren heb ik een geregeld terugkerende droom waarin een kleine kroeskop midden in de brousse de kop van m'n teddybeer afbijt en 'm in het kampvuur spuwt. Badend word ik dan wakker en schreeuw: 'Nee! Teddy! Niet in het vuur!' M'n vrouw neemt me dan in haar armen en streelt m'n penis. M'n vrouw is de enige persoon die ik ken die intrinsiek goed is. Vroeger was m'n moeder ook intrinsiek goed, maar zij is overleden. Ik denk elke dag aan haar en stuur haar een teken van liefde, dat geheim moet blijven.

Ik begon van al dat stappen behoorlijk te zweten, in zo'n mate dat ik dorst kreeg. Ik spotte een op het eerste gezicht leuk bistrootje dat Het Hangijzer heette. Ik stapte naar binnen en ging aan een tafeltje zitten. Een graatmagere man met de ogen van een eend kwam naar me toe en vroeg wat ik wilde. 'Een pintje,' zei ik. 'Ben jij niet te jong om bier te drinken?' vroeg hij. 'Ik vind van niet, en met mij vele anderen,' zei ik. Hij bekeek me alsof ik iets raars had gezegd en ging een pintje halen. Ik dronk ervan met de bierkennis van de ware drinker. Het is een gave. 'Geef er nog maar eentje,' zei ik. Nu vroeg hij niet of ik te jong was. Hij bracht het. Ik betaalde de twee pintjes. Het tweede dronk ik op met van die kleine slokjes. Ik overschouwde het café. Veel klanten waren er niet, op een viertal na. Twee zaten er met elkaar te converseren in het Sint-Niklaas, een dialect dat je herkent van een kilometer, wat verder zat een eenzaat in een reclamefolder van Toyota te lezen, en ten slotte had je een dikke vrouw die een handschoen zat te breien. Zou ik haar vragen om er voor mij ook een te breien? Of twee? In de winter had ik immers altijd koude handen. Maar het leek me geen leuke vrouw. Ze had de uitstraling van te lang gedragen sokken. Ik dronk m'n tweede pintje op en zonder een woord tegen om het even wie ging ik weg. De tofste Toyota aller tijden vind ik de Cressida.

Algauw bereikte ik de instrumentenwinkel. Die was bekend in heel het Waasland en diverse befaamde muzikanten kochten er hun gerief, maar ook minder befaamde. Ik noem voor de vuist weg Bad Hair Johnny, een bluesmuzikant uit Waasmunster, die tegelijk gitaar en mondharmonica speelde, met de gevreesde gevolgen. Ik heb een optreden van hem gezien in jeugdclub Den Trap in Hamme en het was zo'n affreus optreden dat ik, met behulp van twaalf Jupilers, bijna moest overgeven.

Ik keek m'n ogen uit. Daar was ik snel klaar mee en ik ging naar de sectie waar de drumstellen stonden. Het waren er dertien in alle maten en gewichten, al leken de krengen veel op elkaar. Een paar trommels en hier en daar een cimbaal en dan heb je het wel gehad. Het mooist van allemaal vond ik er een van het merk Ludwig. Dat was het merk waarop ook Ringo Starr speelde, die wel eens smalend de derde Beatle werd genoemd, hoewel ik hem, na John Lennon en George Harrison de interessantste van de groep vond, Paul McCartney even niet meegerekend. Hoeveel kostte het? Zevenduizend frank. Dat kwam niet slecht uit, voor de twee Adolfs had ik achtduizend frank ontvangen, zodat er nog duizend frank zou overschieten ook. Ik vroeg me wel af: zevenduizend, is dat niet weinig voor zo'n Ludwig? Ik vroeg het aan een gast achter een toonbank. 'Ja,' zei hij, 'maar het is geen echte Ludwig. Hij is gemaakt in Taiwan.' Omdat ik erg goed ben in aardrijkskunde wist ik wat dat was, Taiwan. 'Ja, die negers maken werkelijk alles na,' zei ik. Maar wat kon het mij schelen dat het geen echte Ludwig was? Je moest een kenner zijn om het te zien. Toch wilde ik weten wat het onderscheid precies was tussen een echte Ludwig en een versie uit Taiwan. 'Een echte Ludwig,' zei die gast, 'is een enorm goed drumstel en een versie uit Taiwan trekt op geen kloten.' In feite was dat een verschil om rekening mee te houden, wat ik niet deed. Wat is tenslotte kwaliteit? Daar kan je lang over discussiëren, en daar heb ik geen zin in. Straks komt m'n vrouw thuis.

Doch terug naar de winkel in Sint-Niklaas. 'Leveren jullie ook aan huis?' vroeg ik. 'Nee,' zei hij. Ik dacht bij mezelf: een taxi, voor mij en voor m'n drumstel, van Sint-Niklaas naar Hamme, die kost toch zeker geen duizend frank? Ik vroeg aan die eikel achter de toonbank om een telefoonboek. Ik zocht het nummer van een taximaatschappij en vroeg het. 'Vierhonderdvijftig frank,' zei een vrouw. 'Stuur er dan maar een,' zei ik en ik liet er een naar de instrumentenwinkel komen. Terwijl ik wachtte vroeg ik aan de zakkenwasser: 'Waarom verkopen jullie drumstellen die op geen kloten trekken?' 'Omdat mensen zoals jij die toch kopen,' zei hij. Hij leek een redelijk cynisch ventje. Wat me dan weer meeviel was dat ik, toen ik het drumstel betaalde, er gratis twee stokjes bij kreeg. 'Komen die ook uit Taiwan?' vroeg ik. 'Nee,' zei hij, 'die komen uit Boom.' Hij negeerde me verder omdat hij uitleg moest verschaffen aan een man die een pauk wilde hebben. Een pauk godbetert. Die zou ik niet in m'n kot willen.

De taxi arriveerde. De chauffeur keek toe, de lamzak, terwijl ik de basdrum, de snaretom en de floortom, de hihat en het bekken, naar z'n auto sleurde. Een hangtom was er niet bij, terwijl ik dat toch een belangrijke tom vind. Maar wat zou je willen voor zevenduizend frank? Al het materiaal vond een plaats in de kofferbak respectievelijk op de achterbank van de taxi, een Mercedes 190, en we vertrokken. Gelukkig was de chauffeur een zwijgzaam type. Hij zei alleen dingen als 'Uit de weg, klootzak', 'Kijk toch uit, stomme aap' en 'Zo meteen rijd ik je van de baan, rotwijf', waaraan hij toevoegde: 'Het einde van de beschaving kwam in zicht toen vrouwen met de auto begonnen te rijden.' Had die man gelijk? Ik brak me er verder het hoofd niet over. Als vrouwen met de auto willen rijden moeten ze dat doen. Ze kunnen het trouwens veel beter dan mannen. Dus nee, die man had geen gelijk. Die man was een lul eerste klas en ik keek door het raampje naar wat er buiten zoal te zien was. Daar had je de befaamde windmolen van molenaar Piet. Lang voor zijn overlijden maalde hij er graan mee. Toen ging hij met pensioen, samen met z'n vrouw Anneloes. Eindelijk konden ze de gedroomde reis naar Peru ondernemen. Op de dag dat ze zouden vertrekken werd Anneloes ziek. Een groot gezwel bevond zich in haar intieme opening. Vrouwen met een enorme zweer in hun kut zullen begrijpen waarover ik het heb. De dokter zei: 'Anneloes, dat wordt opereren. Wat vind je daarvan?' Anneloes, die erg opkeek tegen dokters, zei: 'Heel goed, dokter. Kan ik nog iets voor u doen?' 'Nee,' zei de dokter, en hij wierp een blik op zijn horloge. Om acht uur ging hij naar een concert van The Neuts, waar z'n buurman bas bij speelde. Ik kende The Neuts wel. Ze hadden één keer gescoord, met een uptemponummer, 'We Talked During an Hour'. Helaas overleed Anneloes tijdens de operatie. Piet wilde haar per se identificeren. Hij keek naar haar lijk en zei: 'Nee, dat is zij niet.' Ze was het echter wel. Toen men hem daarvan op de hoogte bracht verloor Piet compleet het noorden. Hij verkocht z'n molen aan een consortium uit Osaka en bracht z'n dagen door in het zothuis in de Nieuwstraat, waar hij zich specialiseerde in rookkringetjes draaien, niet uit een sigaret of een sigaar maar uit z'n rechterwijsvinger. Ik weet dat allemaal, want het staat in het boek *Mythen en sagen uit Sint-Niklaas* van Boris Koprov, een inwijkeling, en van inwijkelingen is bekend dat ze een frisse kijk hebben op de zaken, zodat ik het boek bij deze van harte aanbeveel.

We reden Hamme binnen. 'Uit de weg, idioot!' riep de taxichauffeur. 'Zeg, je hebt het wel tegen m'n grootvader op z'n mobylette,' zei ik. 'Wat dan nog?' vroeg hij. 'Daar heb je een punt,' zei ik. We zwegen tot we aankwamen bij Theet 77, m'n thuisadres. Ik betaalde de hufter en bracht m'n drumstel over naar de lege koeienstal. Ik zette de toms en het ijzerwerk op de juiste plaats en probeerde het even. Taiwan of geen Taiwan, het klonk behoorlijk goed. Bijna meteen stonden m'n vader en m'n moeder in de stal. 'Wat zullen we nu krijgen?' zei m'n vader. 'Ik heb een heel goedkoop drumstel gekocht met m'n spaargeld,' zei ik, 'en ik ben van plan een groep te beginnen.' 'Over m'n lijk,' zei m'n vader. 'Gust, laat die jongen toch z'n hobby beoefenen,' zei m'n moeder. 'Nou ja, dan niet over m'n lijk,' zei m'n vader. M'n moeder had een erg goede invloed op hem. M'n grootvader arriveerde. Hij zette z'n mobylette in de schuur en kwam een kijkje nemen. 'Waar zijn de koeien?' vroeg hij. 'In de andere stal,' zei ik. Dat vond hij logisch klinken. M'n grootmoeder kwam eveneens een kijkje nemen. 'Druiven,' zei ze, 'geef me druiven!' Ze begon de laatste tijd een beetje raar te doen. Niet alleen die druiven wezen daarop, ook het feit dat ze haar nagels niet meer lakte, nooit meer sigaretten draaide en boeken van Hubert Lampo begon te lezen, zij het achterstevoren. Elke keer als ze weer een Lampo uit had nam ik 'm van haar over, en zo werd bij mij het zaad van de literaire belangstelling geplant. Tot de letterkunde definitief zou gaan bloeien was het echter muziek wat de klok sloeg. Ik oefende elke dag op m'n Ludwig en kreeg de slag te pakken. M'n favoriete ritme was de drie-kwartsmaat. Leken zullen niet begrijpen wat ik hiermee be-doel. Het is dan ook moeilijk uit te leggen. Alleen drummers kunnen zich inleven in wat ik zeg.

Als ik een uur of twee had gerepeteerd was ik aan ont-spanning toe en hoe kon je je beter ontspannen dan alweer een roman van Hubert Lampo te lezen. Vol verwachting nam ik z'n magisch-realistische pil *De brulboei van Nossegem* ter hand. Het is een indringend werk over een man die z'n schoenen verliest in een wolkbreuk. Het waren – en dit is iets te doorzichtig qua romantechnische constructie, vind ik – z'n favoriete toverschoenen. Als hij ze aanheeft kan hij over water lopen, maar als hij ze niet aanheeft alleen over ijs. Ge-lukkig heeft het gevroren. Op dat moment in het verhaal aangekomen dwaalden mijn gedachten onwillekeurig af, en ik zei bij mezelf: als ik die Nancy eens belde. 'Hallo,' zei ze. Het klonk me als honing in de oren. 'Dag Nancy,' zei ik, 'het is Herman Brusselmans.' 'Die ken ik niet,' zei ze, 'en het is Nancy niet, het is haar moeder Pristina.' 'Nou, Pristina,' zei ik, 'aan je stem te kunnen horen had je wel een zus van Nan-cy kunnen zijn.' 'Zeik niet,' zei ze. 'Nee, mevrouw,' zei ik. Er viel een stilte. 'Lekker weertje vandaag,' zei ik. 'Integendeel,' zei ze. Wat zouden we nu krijgen? 't Was toch zeker wel, voor de tijd van het jaar, een draaglijk weer? Oké, nu en dan een bries, maar wat dan nog. Als je daar niet tegen kan moet je maar verhuizen naar Umbrië. 'Hoe maakt u het?' zei ik ver-volgens, in plaats van te vragen of ik Nancy aan de telefoon kon krijgen. Dat besloot ik te doen. 'Kan ik Nancy aan de tele-foon krijgen?' vroeg ik letterlijk. 'Nancy is niet thuis,' zei haar moeder, 'zij bevindt zich thans elders.' 'Waar is dat dan precies?' vroeg ik. 'Curieuzeneuze,' zei ze. Ver bezijden de waarheid zat ze niet, daar ik altijd alles wil weten over alles en iedereen. 'Waar heb je Nancy voor nodig?' vroeg ze. 'Om gewoon een praatje te maken,' zei ik, 'over allerlei onderwerpen.' 'Noem er 'ns een,' zei ze. Wat had die griet? Over curieuzeneuzen gesproken. Ik liet me echter niet kennen en zei: 'Bijvoorbeeld de Tweede Wereldoorlog. Weet u wie Fritz von Schleiper was?' 'Begin tegen mij niet over die Tweede Wereldoorlog,' zei ze, 'daar heb ik al genoeg over gehoord van m'n vader. Die kon er niet over zwijgen. Altijd maar over dat zwijn dat ze verstopt hadden voor de Duitsers.' Dat interesseerde me wel, moet ik zeggen. 'Welk zwijn was dat dan?' vroeg ik vol belangstelling. 'Onze Clovis,' zei ze, 'een dik vet varken dat als je riep "Kom, Clovis" direct kwam. Hij kon allerlei kunstjes. Door een hoelahoep springen...' 'Een brandende hoelahoep?' vroeg ik. 'Nee,' zei ze, 'maar hij kon nog meer. Een koprol maken. Op z'n achterste poten lopen. Op z'n voorste poten lopen...' Ze dacht na. 'Op rolschaatsen rijden?' suggereerde ik. 'Nee, dat was onze hond Pollie. Die is gestorven vóór de oorlog aan de oorwurm. Wat ik wil zeggen is natuurlijk dat je zo'n zwijn als Clovis niet wil afstaan aan de Duitsers.' 'En wat gebeurde er toen?' vroeg ik. 'We groeven een diepe put en verstopten hem daarin. Toen we hem, nadat de Duitsers 's nachts weer weg waren, opgroeven was hij dood. Ik heb er nog altijd verdriet van. En m'n vader! Die kreeg sinds de dood van Clovis nachtmerries, niet te geloven. Elke nacht verscheen Clovis aan hem, met z'n hoelahoep in z'n bek.' Ik wist wat nachtmerries met een mens konden doen en betuigde m'n medeleven met de ouwe baas aan z'n dochter. 'Bedankt,' snikte ze. Ik vond het tijd om het gesprek te beëindigen en zei haar dat ik binnenkort Nancy nog 'ns zou opbellen. 'Doe maar,' zei ze, 'doe maar, jongen... Ach, wat was onze Clovis toch een zwijn uit duizenden...' Ik hing op. Om te bekomen van het leed dat de Duitsers de simpele

Vlaamse landmens hadden aangedaan, dronk ik een glaasje limonade. Daarna ging ik door met oefenen. Altijd maar de driekwartsmaat, tot ik me toch aan de vierkwartsmaat waagde. Dat viel me niet mee. Ik werd er moedeloos van, en redeneerde dat ik nooit een goeie drummer zou worden. Maar ik ben een doorbijter en drie dagen later had ik de vierkwartsmaat enigszins onder de knie. Om mezelf te belonen trok ik er een dagje op uit. Reeds 's avonds keerde ik terug. Onderweg had ik besloten dat het tijd werd om de groep bijeen te roepen. Ik was er klaar voor. Als ik al niet een goede drummer zou worden, dan toch de beste drummer die in Hamme ooit in een koeienstal had gedrumd.

De volgende dag zei ik op school tegen Erik Van Yzer en Leo De Roode dat ze om zes uur met hun materiaal naar de koeienstal moesten komen. In het telefoonboek zocht ik het nummer op van Mohammed Mahmoud. Er stond maar één Mahmoud in het boek. Ik kreeg z'n vader aan de lijn, of misschien wel z'n grootvader. 'Is Mohammed thuis?' vroeg ik. 'Het is Mohammed,' zei hij. 'Jij had wel een broer van je opa kunnen zijn,' zei ik. 'Wat?' vroeg hij. 'Niets,' zei ik, 'vanavond om zes uur, de eerste repetitie van de groep, in de lege koeienstal op Theet 77.' 'Ik zal er zijn,' zei hij.

'Ma,' zei ik, 'ik ga beroemd worden.' 'Als het niet zo is, zal ik je nog altijd even graag zien,' zei ze. Een moeder is vaak een erg leuke vrouw.

9

De groep

Eindelijk waren we een groep, en daarom is het nu misschien tijd om de leden voor te stellen. Het is geen pretentie of iets dergelijks, maar ik begin met mezelf. Tenslotte was ik alles wel beschouwd de tofste van de groep. Vele drummers zijn de tofste van hun groep. Het is meer dan eens gebeurd dat als de drummer van de groep overlijdt, of verdwijnt zonder ooit nog teruggevonden te worden, de groep uit elkaar valt. Over mij valt echter niet zoveel te zeggen, en dat was niet minder het geval aan het begin van de jaren zeventig. Hoe tof ik ook mocht zijn, opvallen deed ik geenszins. Ik wilde me zoveel mogelijk wegcijferen en me onopvallend bewegen op de achtergrond, van waaruit ik slechts zelden mijn stem verhief om anderen op hun onwetendheid, hun domheid of hun algehele wanstaltigheid, zowel fysiek als geestelijk, te wijzen.

Toen ik klein was wilde ik missionaris worden, met een lange baard. Als het te pas zou komen zou ik 'm afscheren. Tegen de zwarte mensen in het oerwoud zou ik zeggen: 'Niet stout zijn, hoor, nikkers.' Ik zou hun discipline, werklust en goedaardigheid bijbrengen, doch tevergeefs. Wat je kleur ook is, in wezen ben je slecht. Ik besefte dat algauw en in plaats van als zielenherder besloot ik dat ik beter af zou zijn als psychologisch begeleider. Waarom ik dat later niet ben geworden, weet jij het. Misschien omdat ik door iedere gek, waar hij ook rondloopt, met rust gelaten wilde worden.

Ik heb altijd gepleit voor een maatschappij met rustige, rationeel denkende mensen, en hier en daar een idioot die de kunstenaar wil uithangen en een mooi schilderij maakt, een prachtig boek schrijft of een uitmuntend stuk muziek fabriekt. Dat wilde ik ook doen. Met die schilderijen maken is het volstrekt niets geworden. Ik probeerde het eerst als pointillist, onder het motto: een punt is snel gezet. Wat een afgang. Geen enkel van m'n pointillistische werken drukte iets uit. Ik zou niet weten wat. Vervolgens ontdekte ik het fauvisme. Ik heb slechts één fauvistisch werkje geschilderd, getiteld *Vraag me niet waarom, mijn lief*. Op een concours voor jonge schilders haalde ik daarmee de zevende prijs. Dat vond ik onvoldoende. Steeds weer schoot door m'n hoofd: 'Nummer één wil ik zijn! Nummer één! Nummer één!' Ik probeerde het nog een poos als hyperrealist en schilderde zodoende onder meer de banjo van m'n tante Frieda, die, toen ik het schilderij onthulde, zei: 'Wat een mooie spoorweg.'

Nu zwijg ik over mezelf. Al de noodzakelijke informatie die met mij te maken heeft zal ik over drie à vijf jaar onthullen, in mijn definitieve autobiografie *Het gevecht tussen mij en de verliezers*. Na publicatie ervan zal ik de pen definitief opbergen en eindelijk, samen met Tania, dat reisje naar zee maken dat al zo lang in de lucht hangt.

Van de andere groepsleden was Erik Van Yzer veruit degene met de zwaarste brillenglazen. Hij zag heel slecht en koos dus terecht voor de basgitaar. Die vier snaren, daar kan je bijna niet naast kijken. Erik was een teruggetrokken jongen die van gemiddelde komaf was. Zijn vader was ontwerper van speelgoed, en vond in die functie de putbal uit. Dat was een bal die, als je 'm in een put gooide, er vanzelf weer uit stuiterde. Een grote doorbraak heeft de putbal nooit gekend. Dat trok de vader van Erik Van Yzer zich niet aan en samen met z'n vrouw ging hij fietsen.

Doch dan nu over naar Leo De Roode. Zijn vader was een collega van de vader van Erik Van Yzer en hij ontwierp de neusbal, die vooral werd gebruikt in dolfinaria. Ook hij en zijn vrouw fietsten graag, terwijl hun zoon in het tuinhok gitaar zat te spelen.

Wat kan ik nog meer over deze twee Vlaamse jongens vertellen? Niet zoveel meer dan over duizenden en duizenden andere Vlaamse jongens over wie ik ook al niet veel vertel. Bovendien vind ik het niet kies om dingen aan het papier toe te vertrouwen die je net zo goed kan weglaten. Dankzij deze opvatting ben ik de schrijver geworden zoals er verder bijna geen zijn in Vlaanderen.

Dan was er onze zanger, Mohammed Mahmoud, van ver te herkennen als de krullenbol van het stel. Over hem blijf ik helemáál discreet, want anders zou z'n familie me weten te vinden, zei hij. Dat soort dreigementen neem ik al m'n hele leven serieus. Daar kan ik aan toevoegen dat ik mensen van wat voor gezindte ook, inclusief de godsdienstbeleving, even hoogacht als andere aanstellers. Als een moslim kan zingen, is het voor mij al lang goed. Dat dienden we natuurlijk uit te testen. 'Mohammed, zing 'ns iets,' zei ik. Hij haalde diep adem en zong een lied dat klonk alsof het rechtstreeks uit de bergen kwam, in de mist gehuld. Van de taal waarin hij het zong begrepen we natuurlijk geen snars, maar zonder twijfel baadde z'n lied in melancholie en nostalgie, die ons vrijwel meteen enorm op de zenuwen werkten. 'Mohammed,' zei ik, 'het is de bedoeling dat we een in het Engels zingende, populaire rockgroep worden, niet een stelletje berbers dat odes aan schapen, plaghutten en gevulde pita's kweelt tot het publiek twee minuten later de zaal uit loopt.' 'Ik wil m'n geloof onder de mensen brengen,' zei hij. 'Dat doe je thuis maar,' zei ik, 'hier in deze koeienstal zul je in het Engels zingen over lekkere wijven, dikke tieten en meisjes in korte jurkjes. Kortom, alles wat een jongen van onze leeftijd bezighoudt.' 'Er is toch meer op aarde dan lekkere wijven, dikke tieten en meisjes in korte jurkjes?' vroeg hij. 'Nee,' zei ik. 'Dat klopt,' zei Erik Van Yzer. 'Er zijn natuurlijk ook de belastingen en de bijdrage voor de sociale zekerheid,' zei Leo De Roode, 'maar dat zijn zorgen voor later.' 'Precies,' zei ik, 'en à propos, Mohammed, ken jij eigenlijk wel Engels?' *The vicar of Westminster Abbey is a poofter*,' zei hij. Ja, hij kende Engels. We konden eraan beginnen. Uiteraard was het de bedoeling dat we onze eigen songs maakten. Maar eerst moesten we een naam hebben. 'Inderdaad, een naam,' zei Leo De Roode. Net op het moment dat we alle vier begonnen met langdurig nadenken over een goeie naam zei Erik Van Yzer: 'Ik heb altijd al in een groep willen spelen die The Hidden Creators of the Sleepy Daydreams heet.' 'Ja, waarom eigenlijk niet,' zei ik. En zo kwamen we aan onze naam. M'n grootmoeder kwam binnen. 'Wie van jullie is Mohammed?' vroeg ze. Mohammed stak z'n hand op. 'Er heeft een man voor je gebeld die zei dat het eten klaar is,' zei m'n grootmoeder. 'Ik verstond hem eerst niet. Ik dacht dat hij zei dat er een asbak van de tafel was gevallen. Ik dacht: wat zegt die nu? De tweede keer verstond ik hem nog niet. Toen dacht ik dat hij zei dat de boot gezonken is ter hoogte van Sluiskil. Ik dacht: wat zegt die nu? Pas de derde keer verstond ik hem. Waar heeft die man Nederlands geleerd?' 'Van mijn moeder,' zei Mohammed. 'En welke taal spreekt zij?' vroeg mijn grootmoeder. 'Marokkaans,' zei Mohammed. 'Dat arme mens,' zei m'n grootmoeder en ze verliet de koeienstal. 'Ik moet gaan eten,' zei Mohammed. 'Oké dan,' zei ik, 'dan zullen wij alvast met z'n drieën een paar riedeltjes inoefenen. Ik stel voor dat ik van de week een Engelse tekst schrijf en ik zal 'm je bezorgen. Leer die zo snel mogelijk uit je hoofd. Het wordt onze eerste song en de eerste song is altijd de belangrijkste. Dat heb ik gelezen in een interview met Chinn

en Chapman.' 'Wie is Chinn en Chapman?' vroeg Mohammed. Het is toch erg dat hij niet wist wie dat waren. Ik vertelde het hem, en hij ging weg.

De rest van de groep speelde een paar riedeltjes en daar
zat een dijk van een riff bij, die zomaar uit de gitaar van Leo
De Roode ontsnapte. Erik Van Yzer wachtte niet om er een
basmotief bij te verzinnen, dat ik opfleurde met strak
drumwerk. Dat zou onze eerste song worden. Ik moest er
alleen nog een tekst bij verzinnen. Eerst stelde ik echter
voor dat we, blij dat de eerste repetitie zo voorspoedig was
verlopen, het zouden vieren in café Het Pachthof. 'Nee, ik
kan niet,' zei Erik Van Yzer, 'ik heb afgesproken met twee
vrienden om iets te gaan drinken.' Leo De Roode kon ook
niet, want die moest op bezoek bij z'n tante, die bevallen
was van een kindje, en omdat het vijf weken te vroeg geboren was, wilde hij het toch wel 'ns zien voor het misschien
zou creperen. In die tijd wist de medische wetenschap in
Hamme nog niet altijd raad met prematuren. Zodoende
ging ik in m'n eentje naar café Het Pachthof, zij het dat ik er
meteen oom Theo zag zitten, samen met z'n beste maat,
lange Robert. Mensen hadden bijna allemaal een bijnaam
in die tijd, en dat was voor lange Robert niet anders. Je zal
je afvragen: 'Was hij dan zo lang?', en ja, dat was zo. Ik ging
bij hen zitten aan het tafeltje dat ze uitgekozen hadden. Ik
kon maar beter een cola bestellen of oom Theo ging mijn
ouders misschien vertellen dat ik bier dronk. Mijn ouders
zagen het niet graag gebeuren dat ik bier dronk. Ze vreesden dat ik in een zatte bui een meisje zou vastgrijpen daar
waar het deugd deed. Ze oordeelden dat ik voor al die dingen – bier drinken, het doen met meisjes en roken – te jong
was. Ach, misschien hadden die twee lieverds wel gelijk.
Doch het vlees ener veertienjarige is zwak, en geef het eens
ongelijk. Het is leuk om als veertienjarige te drinken, meisjes te behagen en te roken. Ik stak er eentje op. 'Mag jij wel

roken van je ouders?' vroeg lange Robert. 'Laat die jongen toch,' zei oom Theo. 'Een pintje, Herman?' Dat kon een truc zijn om mij eerst te laten drinken en het daarna te gaan vertellen. 'Nee,' zei ik, 'ik moet nog hard studeren van-avond.' Het was waar ook, het examen aardrijkskunde kwam eraan. 'Geef maar een cola.' Ik doofde de sigaret. 'Bah, wat vies,' zei ik. Oom Theo bestelde een cola bij Ju-lienne van Het Pachthof. Zij was een vrouw met een café. Sinds jaar en dag bestelde ze daar haar klanten. Boven had zij haar privévertrekken waar zij met haar hond, Lubanski, samenwoonde. Het was een Poolse *wlodek*, een hond die ge-wend was aan harde en gure omstandigheden, maar als hij in z'n warme mand mocht blijven liggen vond hij het ook goed. Julienne gaf me de cola en zei: 'Hoe gaat het, kleine Herman?' Ze kende ook een gróte Herman, de minnaar die haar in 1959 had verlaten nadat hij z'n moeder had ver-moord. Eerst wilde hij het op zelfmoord laten lijken door haar in het water te gooien. Het kleurde echter meteen bloedrood en dat had iemand gezien. Die ging naar het po-litiebureau en zei tegen de agent van dienst: 'Pros, er ligt een lijk in de Durme.' Nog diezelfde avond werd grote Her-man van z'n bed gelicht. Er stond de volgende dag een foto van hem in de krant met z'n pyjama aan en zonder bril, die hij voor het slapengaan op het nachtkastje legde. Toen hij tien jaar later vrijkwam lag die bril er nog. Grote Herman kon de hoon en de angst van de mensen niet verdragen en trok naar Finland, waar hij zalmvisser werd. Julienne ont-ving slechts één kaartje van hem, waarop stond: 'Veel zalm hier.'

'Heel goed, dankjewel, Julienne,' zei ik en ik nam een slok van de cola. Oei, zo koud. Het was gekoelde cola, weet je. En zo verliep langzaam de tijd. Lange Robert was bezig een verhaal te vertellen. 'We zaten achter een muur,' zei hij, 'en de Duitsers achter een andere muur.' Altijd dat gezeik over muren. M'n oom Theo luisterde natuurlijk aandachtig, omdat muren hem interesseerden. M'n gedachten dwaalden af. Wat zou Nancy nu aan het doen zijn? Ik wist het niet. Dat kon van alles zijn, bijvoorbeeld een handje helpen bij de vaat. Lag het niet voor de hand dat ik over haar de eerste song van The Hidden Creators of the Sleepy Daydreams zou schrijven? Of over Nathalie? Of over Bollie? Of over de zangeres van de groep die een nummer 1 had met 'Venus'? Ik voelde de moedeloosheid van de songwriter over mij heen dalen. Ik kan, zo bedacht ik, terwijl het raam openstond, in plaats van missionaris of psychologisch begeleider, professioneel songwriter-drummer worden, wat wel zal impliceren dat ik een leven lang terneergeslagen, in paniek, geestelijk instabiel en aan de drank zal zijn, wat ik trouwens ook kan zijn als het in de muziek niet lukt en ik ervoor kies om, zoals Hubert Lampo, fulltime romanschrijver te worden. Impliceerde dit dat Hubert Lampo terneergeslagen, in paniek, geestelijk instabiel en aan de drank was? Dat zou ik toch even willen checken. Helaas beschikte ik niet over Hubert Lampo's telefoonnummer of adres. Anders had ik hem gerust kunnen bellen, of desnoods schrijven, en hem enige vragen kunnen stellen die van belang waren. Ik zou eraan toevoegen: 'Bedankt voor de letterkundige pracht die u ons schenkt, meneer Lampo. Mijn favorieten zijn *De brulboei van Nossegem, Samen in een schuit* en *Haal mij uit de kelder*, drie werken van enige betekenis.' Zou ik een song schrijven over Hubert Lampo, en hoe, in de jaren dertig, de meisjes met dikke tieten zonder twijfel dol op hem waren, ondanks de oorlogsdreiging? Ik werd steeds moedelozer en een tweede cola zou niet helpen, dat wist ik nu al. Lange Robert was nu bezig met een verhaal over zijn schoonmoeder. 'Zij reed door de Moerheide,' meldde hij, 'en kreeg een hoop varkenspoep in haar nek, waardoor zij struikelde en bleef liggen. Ze stond op.

Ze nam zich voor om het niet over haar kant te laten gaan en klopte aan bij de hoeve van boer Kamiel, van waaruit de varkenspoep volgens haar werd gegooid.' 'Ja,' onderbrak mijn oom Theo, 'de zonen van boer Kamiel, Jackie en Lukske, zijn de ergste poepgooiers van heel de Moerheide.' 'Dat weet ik, Theo, dat weet ik,' zei lange Robert, 'enfin, om een lang verhaal te maken, m'n schoonmoeder klopte aan en wie deed open, 't was Kamiels vrouw Persjenne, die een hoofddoek droeg omdat haar oor chronisch droop. Er ontspon zich een gesprek tussen beide dames. Persjenne betoogde dat noch Jackie noch Lukske noch haar man thuis was, en wie zou de varkenspoep dan in 's hemelsnaam gegooid kunnen hebben? "Jij," zei mijn schoonmoeder. "Zie ik eruit als iemand die varkenspoep gooit met een oorontsteking?" vroeg Persjenne. "Nee," gaf m'n schoonmoeder toe. Ze gaf alles meteen toe. Geen wonder dat ze het niet ver heeft gebracht, en haar hele leven hetzelfde rotbaantje als klusjesverantwoordelijke op de fabriek heeft behouden. Hoeveel keer ik al tegen haar heb gezegd: "Verander toch van werk, Ambonie." Geen lievemoederen aan, Theo, en ik overdrijf niet.' Hij hapte naar adem. Door z'n verkeerde verteltechniek beschikte hij over veel luchttekort. Wat een vervelende man. En oom Theo was geen haar beter. Het enige van wezenlijke waarde wat hij deed was nu en dan de banjo van z'n vrouw dragen. Met zo'n curriculum vitae breek je geen potten in de maatschappij. Hoe konden negen kinderen het ooit ver schoppen met zo'n vader? Dat een van hen op een dag preses, cultuurfanaat of pakweg majoor zou worden was uitgesloten. Uitgerekend zij waren neven en nichten van mij, wat me zeer teleurstelde. Ik wilde niet met hen gezien worden, hoewel ik eens samen met Doris, de oudste dochter, een tijd lang naar het gras in een wei stond te kijken. Ik vond het prachtig, zij vond er niets aan, en gelukkig bleef het bij een eenmalige gebeurtenis. Ik verliet Het Pachthof. Een song wachtte op mij. Het zou deze song zijn waarover ik zo dadelijk een hoofdstuk begin. Zonder structuur in m'n leven en werk zou ik ten onder gaan.

10

De song

Met pen en papier in de aanslag zat ik, terwijl ik op de achterkant van de pen sabbelde, naar het papier te kijken. De eerste regel is de moeilijkste. Ik gokte op 'I woke up this morning and my eyes were shut'. Daar zat iets in wat ik niet direct kon thuisbrengen. De tweede regel kon eventueel soelaas brengen. 'I opened them and saw a little cabooter.' Derde regel: 'I asked him to bring me a naked girl.' Vierde regel: 'He laughed me damned in my face.' Refrein: 'Tsjoelala Tsjoelala.' Ik schreef nu ik toch bezig was een tweede strofe, waarin dikke tieten voorkwamen. In een derde strofe concludeerde ik dat je zelf voor blote wijven moet zorgen, dat de kabouters het niet voor je doen. De titel van de song was 'The Useless Breath'. Ik vind dat een song, of wat dan ook, een titel moet hebben die de inhoud niet verraadt, tenzij voor de goede verstaander. Ik was zo uitgeput van het schrijven dat ik me nederlegde op mijn bed. Dra viel ik in slaap of zoals de Fransen zeggen: *'Dormir toute du suite.'* Soms heb ik de stille indruk dat mijn Frans beter is dan m'n Engels. Doch Franse chansons, daar kon een populaire rockgroep niet mee aankomen. Intussen was ik begonnen met dromen. Eenzaam liep ik over de hei, met een emmertje noten in m'n handen. Die deelde ik uit aan de omstaanders. 'Dankjewel, Firmin,' zeiden die. In m'n droom heette ik Firmin, en de omstaanders Virginie en Rosalie. Ze hadden hun poes meegebracht, Plunkie. Dat was een rosse kater met een zakbreuk. 'Miau,' zei hij. Hij kon de letter w niet miauwen. Leuk aan een droom vind ik dat zo on-geveer alles kan. Er zijn echter grenzen. Die werden bereikt toen Virginie in haar neus peuterde. Ontstemd werd ik wak-ker. Ik droom niet graag viezigheid. Ik peuter nooit in m'n neus, alleszins niet met m'n duim. In de verte hoorde ik de telefoon rinkelen. Meestal nam mijn grootmoeder op, daar ze dan een praatje kon slaan met deze of gene. Soms hing ze wel tien minuten aan de lijn, erg veel in die tijd. Pas later kwam het in de mode om lang te bellen, vooral toen de ruis verdween. Tegenwoordig hoor je in telefoongesprekken bij-na nooit meer het woord 'wablief', terwijl dat tot diep in de jaren zeventig een der meest gebruikte woorden was tijdens telefonische gesprekken, uiteraard na 'hallo', 'dat meen je niet' en 'tot ziens'. M'n grootmoeder klopte op m'n deur en zei: 'Een Dancy voor jou aan de lijn.' M'n hart sprong op als een hertenbok die je me daar toch een schop tegen z'n kloten geeft dat hij twee meter de lucht in gaat. Of zou het toch een Dancy zijn in plaats van Nancy? Ik kende geen Dancy. Ik had die naam zelfs nog nooit gehoord. Misschien was het een buitenlands meisje. Die hebben geregeld van die rare na-men, zoals we reeds merkten met Jirsipuu. Ik opende de deur. 'Bedoel je niet Nancy?' zei ik tegen m'n grootmoeder. Wat voor jurk had ze nu weer aan? Ze stond allicht op het punt te gaan kaarten in café De Zep, waarvoor ze zich altijd kleedde in een affreuze jurk. Nu was het er een met strepen, bolletjes, vierkantjes en effen kleuren. 'Nee,' zei ze, 'Dancy.' 'Het moet wel Nancy zijn,' zei ik. 'Dat ze dan haar eigen naam leert uitspreken,' zei m'n grootmoeder. In wezen had ze ge-lijk; een meisje dat haar eigen naam niet kan uitspreken, zal het nooit ver schoppen in de maatschappij. En ik wist toen al dat ik ooit een vrouw zou willen, zo niet een echtgenote, die het ver schopte in de maatschappij. Ik dacht aan een verte-genwoordigster in brillen, een administratief medewerkster bij een modefirma of een algemeen manager van een hip café-restaurant (open van elf uur 's ochtends tot drie uur 's nachts). Ik ging naar de woonkamer, waar de telefoon op een laag tafeltje prijkte. Ik nam de hoorn op en zei: 'Dancy?' 'Nee, Nancy,' zei ze. 'Zie je wel,' zei ik. Doch ik wist nu al niet meer wat te zeggen, zo'n droge mond had ik, gevolgd door hartkloppingen en een zweterige toestand in het algemeen. 'Het weer zit maar niet mee,' zei ik. 'Vind je dat?' vroeg ze. 'Als jij het niet vindt, dan ik ook niet,' meldde ik haar. Hoe dan ook, op den duur wisten we af te spreken om elkaar te ontmoeten in het parkje niet zo ver daarvandaan, dat bekend was onder de naam 't Konijnenveld. Vroeger woonden daar volgens de overlevering allerlei konijnen, ieder in hun eigen huisje. Ze waren zelfbedruipend en gaarden hun gras zelf. Toen kwam de plaag. Alle konijnen stierven behalve een kleintje, waarvan sindsdien niets meer werd vernomen. Een eenzaat die wat verder in een chalet woonde verklaarde dat hij het ten hemelen had zien stijgen. Hij had het nog uit de lucht willen schieten met z'n buks, doch reeds was het achter een wolkenpartij verdwenen. Mensen die naar konijnen schieten, die moeten uitkijken voor mij, want m'n hoon en eventueel andere maatregelen zullen hun deel zijn.

Ik zei tegen m'n moeder dat ik ergens heen moest en op m'n fiets reed ik naar 't Konijnenveld. Onderweg plukte ik een bosje bloemen, dat ik Nancy zou aanbieden. Terwijl ik plukte schoten mij de riff van Leo De Roode en de baspartij van Erik Van Yzer en m'n eigen erbij aansluitende drumpartij te binnen, die erg goed zouden passen bij de tekst van 'The Useless Breath'. Tjonge, we hadden een hit in handen. Ik ging zitten op het bankje dat op 't Konijnenveld stond, ten voordele van mensen die eventjes wilden uitpuffen. Dat deed ik. Ik keek op m'n horloge. Waar bleef die verdomde Nancy? Ons eerste gezamenlijke afspraakje, en al te laat! Wat moest er van dat meisje worden? Ze kon weliswaar haar eigen naam uitspreken, behalve als m'n grootmoeder de telefoon opnam, maar op tijd komen, daar veegde ze haar laarzen aan af. De eenzaat kwam uit z'n chalet en liep op me toe. Dat hij maar uitkeek, of m'n vuist zou spreken. 'Wie ben jij?' vroeg hij. Ik negeerde hem eerst. Vervolgens zei ik: 'Herman Brusselmans.' Hij beweerde dat hij die niet kende. 'Ben je van hier?' vroeg hij. 'Van waar anders?' zei ik. 'Jij domme domme idioot. Konijnen uit de lucht schieten, dat kun je wel. Als je nu niet opkrast naar je debiele chalet, dan sla ik je op je smoel.' Dat had hij niet verwacht, en wel in die mate dat hij naar me uithaalde. Ik wist me op tijd te bukken, kwam weer overeind en duwde de bloemen in z'n gezicht. 'Aaaaaaaaaa-aaaaaahh!' riep hij. Vol van paniek liep hij z'n chalet in. Wat denkt zo'n eenzaat wel? Met mij valt als dusdanig niet te spotten, zeker niet in de jaren zeventig, het tijdperk mijner grote kracht. Nu, al die jaren later, is het heel wat minder en kan ik met moeite een stuk behang van de muren trekken, doch als tiener beschikte ik over een grote onvermoede force, die ik nog durfde aan te wenden ook. M'n bloemen waren wel verfomfaaid. Dan pluk je 'ns een bosje, en dan krijg je dat. Ik gooide ze in de vliet die daar vloeide en waarin, nog steeds volgens de overlevering, de konijnen indertijd hun was deden. Ik stak een sigaretje op en bleef wachten op Nancy. Mogelijk kon ze niet komen wegens een sterfgeval. Er sterven veel mensen, vaak familieleden. Doch daar kwam ze reeds in de verte aangestapt. Was zij het wel of was het een ander mokkel, zo een die meteen bereid is om m'n snikkel in haar mondje te stoppen? Een jonge knaap heeft toch geregeld van die seksuele gedachten.

Om haar tetten te bedekken droeg Nancy een blouse en om haar vagina aan het oog te onttrekken een jeansbroek van het merk Wrangler. Dat kon ik zien toen ze dichterbij kwam, en ook merkte ik, jawel hoor, haar onopvallende laarsjes op. Ze zag er niet meteen uit als een vamp en dat hoefde ook niet voor mij. Gewone meisjes zijn al ongewoon genoeg. Nog een paar meter en ze zou op gespreksafstand zijn. Ik kon echter niet wachten en riep luid: 'DAG, NANCY!' Ze was intussen bij mij en zei: 'Dag, Herman.' Weer werd ik verlegen. Ik moest gauw een gespreksonderwerp vinden. 'Gaat alles goed met je familie?' zei ik. 'Niemand gestorven?' 'Nee,' zei ze. 'Ook niemand ziek?' hield ik aan. 'Je weet wel. Kanker en dergelijke. Je hoort bijna niets anders meer. Positief is dan weer dat een dokter in Amerika een pil heeft uitgevonden tegen steken in je zij. Dat las ik vanochtend in de krant.' Meisjes hebben graag dat jongens over veel kennis beschikken en de krant lezen. Daarom besloot ik nog een bewijs te leveren dat ik wel degelijk de krant van voor naar achter las. 'In *Suske en Wiske*,' zei ik, 'viel Lambik in een braamstruik. Dat was lachen.' 'Ik heb het ook gelezen,' zei ze, 'en ja, ik vond het ook grappig.' Hetzelfde gevoel voor humor is niet onbelangrijk. Dat zou ik nog even, voor alle zekerheid, uittesten met een mop. 'Welnu, Nancy,' zei ik, 'Pudding en Gisteren liepen door de Kalverstraat. Ze kwamen Sam en Moos tegen. Opeens viel Gisteren in een braamstruik!' Ze lachte hartelijk. Ja, we hadden wel degelijk hetzelfde gevoel voor humor. Ze zat naast mij op het bankje. 'In dat chalet daar woont een viezerik,' zei Nancy. 'Ja, dat weet ik,' zei ik, 'hij heeft daarnet nog het bosje bloemen vernield dat ik voor je had meegenomen. Ze waren helemaal total loss en ik heb ze in de vliet moeten smijten, waar ze wegdreven met het water.' 'Wat lief,' zei ze, 'dat ik een bosje bloemen van je gekregen zou hebben. Ik hou erg veel van bloemen. Ik zou ze elke dag in m'n haar vlechten als het niet zo'n gedoe was. Vlecht jij wel eens bloemen in je haar, Herman?' 'Alleen bij speciale gelegenheden,' zei ik, 'die zich tot nu toe niet hebben voorgedaan.' Ik schoof een beetje naar haar toe, en kon haar parfum ruiken, een mengeling van seringen, modder en hoofdvlees. Dat klinkt smeriger dan het was. Sterker nog, ik werd behoorlijk hitsig van haar geur. Ik hield m'n tong

echter in m'n mond. Er viel een stilte zoals ik nog maar zelden in m'n leven een stilte had meegemaakt. Je kon zelfs de
kikkers horen kwaken. Ik luisterde er aandachtig naar. Hoe
die arme dieren dat geluid kunnen maken, mij is het een
raadsel, doch biologen weten hoe dat zit. Bioloog, ware dat
niets voor mij? Ik zou me concentreren op de koe en daar een
studie over maken, zo dik dat je haar bijna niet kan dragen
zonder onderweg even te rusten. De stilte werd schier on-
draaglijk. Had Nancy dan niets te zeggen waar ik m'n brood
bij kon soppen? Er zijn toch interessante onderwerpen genoeg op aarde. Ze kon bijvoorbeeld zeggen: 'Herman, wat
vind jij van de hippiebeweging?' Nou, daar zou ik toch even
over moeten nadenken, hoor. Het is zo dat ik persoonlijk
nooit een hippie ben geweest. Ik heb wel 'ns een ruim hemd
gedragen, maar dat kwam omdat het van m'n broer was en
m'n moeder zei: 'Dat is nog een net hemd, draag jij dat nog
maar een tijdje, Herman.' Je zou m'n broer moeten zien, hij
is waarlijk een beer van een kerel. Hij is minstens vijf centi-
meter groter dan ik en in lengte scheelt dat toch algauw een
stuk. Maar liever een grote broer dan een kleine broer. In een
van m'n terugkerende angstdromen had ik een dwerg als
broer. Hij heette Jean-Claude. Hij sprak Frans. Hij probeerde
groter te lijken door de hele dag te springen. M'n moeder zei:
'Herman, ga met Jean-Claude naar de vroegmarkt en breng
een ons kaas mee, alsmede een portie spruiten.' Ik schaamde
me diep op weg naar de markt van Hamme. Mensen kwamen
hun huis uit om de dwerg te zien. Ze gooiden varkenspoep
naar hem. Jean-Claude trok zich daar allemaal niets van aan
en rookte vrolijk z'n pijpje. Op een dag was hij verdwenen en
hoe we ook zochten onder kasten en crapauds, we vonden
hem niet. Wat was ik opgelucht. In plaats van hem kreeg ik
een zus van twee meter tien. Alweer schaamde ik mij. In m'n
angstdromen schaam ik mij altijd maar, en in de werkelijkheid ook heel veel.

'Was je broer tevreden met z'n speeldoos?' vroeg ik aan Nancy. 'Nee,' zei ze, 'hij heeft hem nog diezelfde dag met een buurjongetje geruild tegen een poster van Neil Armstrong.' 'Aha,' zei ik, 'de eerste man op de maan. Ik herinner me de rechtstreekse beelden wonderwel. Hij droeg een ruimtepak, waardoor je hem nauwelijks kon herkennen. M'n grootmoeder dacht zelfs dat het iemand anders was, maar mijn grootvader, ook niet meteen een ruimtespecialist, zei: "Het is wel degelijk Neil Armstrong." Hij had gelijk. Zou jij astronaut willen worden, Nancy?' 'Nee,' zei ze, 'dat lijkt me meer iets voor mannen. Ik wil graag kleuterjuffrouw worden, en als dat niet lukt, professor aan de universiteit. Ik denk dat ik een goede lesgever kan zijn. En jij, Herman, wat wil jij worden?' Ik zocht snel naar iets spectaculairs waarmee ik haar van de sokken zou blazen. Wat kon ik beter verzinnen dan drummer bij een rockgroep? 'Ik wil drummer worden bij een rockgroep,' zei ik, 'met dat verschil dat ik het al ben. Zopas heb ik met drie andere jongens The Hidden Creators of the Sleepy Daydreams opgericht, een fantastische rockgroep. Onze planning is om hit na hit te scoren, te beginnen met "The Useless Breath", dat ik heb geschreven.' 'Is het werkelijk?' zei ze. 'Heb je geen meisjes nodig om op de achtergrond te staan zingen? Je ziet dat vaak bij rockgroepen.' Verdomd, ze had gelijk. Een backingzangeres! Of liever nog, twee! Zij en wie nog... Nathalie natuurlijk! De twee grieten op wie ik geil liep. Uit de geregelde omgang met hen beiden kon ik dan na een tijd kiezen wie het best zou passen als m'n vaste vriendin. Zou ik er geen drie backingzangeressen van maken en ook Bollie vragen? Nee, die Bollie had het te druk met haar taak als monitrice en ze had ros haar en een brilletje. Bovendien had ik haar reeds seksueel bezeten. Neem als rockgroep nooit een backingzangeres aan die een der leden reeds seksueel heeft bezeten. Daar komt alleen maar heibel van. Dat had ik gelezen in een stuk over Deep Purple, en wat voor

Deep Purple gold, gold wat mij betrof evengoed voor The Hidden Creators of the Sleepy Daydreams. 'Kun je zingen?' vroeg ik aan Nancy. 'Ik denk van wel,' zei ze en ze barstte ineens zodanig in een wild gezang uit dat ik de stuipen op het lijf kreeg en ik niet alleen. De kikkers staakten hun gekwaak en de eenzaat deed het gordijn van z'n chalet opzij en staarde verschrikt naar wat er aan de hand kon zijn. 'Prima, prima,' zei ik, om Nancy te doen ophouden. Ze hield op en zei glimlachend: 'Wat zing ik toch graag.' 'Als backingzangeres zul je toch een ietsje minder luid moeten zingen,' zei ik, 'temeer omdat jullie met z'n tweeën zijn.' 'Wie is de tweede?' vroeg ze. 'Nathalie,' zei ik, 'een meisje van Kazachstaanse afkomst.' 'Die ken ik,' zei Nancy, 'we hebben dezelfde gynaecoloog.' 'Waar hebben jullie die voor nodig?' vroeg ik verbaasd. 'Om naar onze kut te kijken,' zei ze, 'zodat hij kan zien of alles daar in orde is.' 'En?' vroeg ik. 'Alles oké,' zei ze, en ze bloosde licht. Ik had zin om te vragen of ik ook 'ns mocht kijken, doch via een onmenselijke inspanning wist ik de vraag in te houden.

11

De volgende repetitie

We waren compleet. Ik was de drummer en songschrijver; Erik Van Yzer de bassist; Leo De Roode de gitarist; Mohammed Mahmoud de zanger, en Nancy en Nathalie de backingzangeressen. Nathalie had meteen toegehapt toen ik het haar vroeg. 'Het is altijd mijn droom geweest,' zei ze. 'Mag ik ook op m'n Adolfs spelen?' 'Nee,' zei ik, 'die bewaar je maar voor thuis.' 'Maar ze hebben me veel gekost,' zei ze. 'Het is allemaal een kwestie van vraag en aanbod,' zei ik, 'en nu wil ik geen woord meer horen over die gitaren. Leo De Roode is gitarist en verder niemand.' Ze boog het hoofd en zweeg. Meer had ik niet nodig, en op die bewuste dag in 1972, drie dagen nadat ik een erg goed examen aardrijkskunde had afgelegd, begonnen we aan de repetitie die het aanzien van de Vlaamse rock diende te veranderen. Leo De Roode speelde het melodietje voor dat hij verzonnen had en dat moest dienen bij de tekst van 'The Useless Breath', die ik eerst had voorgelezen en in getypte versie had overhandigd aan Mohammed, die 'm tenslotte moest vertolken. Er was wat gemor geweest, in de trant van 'Wat is dat voor een debiele tekst', doch ik smoorde het in de kiem door te zeggen: 'Het is een tekst die aan de noden van deze tijd beantwoordt.' Toen hield het gemor al snel op. We konden beginnen. 'Ik heb buikpijn,' zei Nancy, 'ik denk dat ik naar het toilet moet.' 'Het is hier naast de stal,' zei ik, 'je kunt het herkennen aan de plank met een gat erin.' 'Is er geen wc binnen?' vroeg ze. 'Over een tijdje,' zei ik, 'hij is besteld. Maar ik zou niet te veel klagen mocht ik jou zijn. Aretha Franklin moest ook kakken op een buiten-wc. En is ze daar zoveel slechter van geworden? Bovendien moest ze zich voeden met maniok, bananenbrij en maïskoek. Hop, naar het toilet en zo snel mogelijk weer terug.' Het is altijd wat met backingzangeressen. Terwijl Nancy haar behoefte was gaan doen besloten we op haar te wachten voor we verder repeteerden. 'Heb jij ooit al maïskoek gegeten?' vroeg ik aan Nathalie. 'Twee keer,' zei ze. Ze droeg een t-shirt met daarop BROWN GIRL IN THE RAIN. Erik Van Yzer vroeg of we de dag ervoor de James Bond-film op tv hadden gezien. 'Ja,' zei ik, 'en ik moet zeggen, hij viel me knap tegen.' Leo De Roode zei dat hij de film had gemist omdat hij op Nederland naar een documentaire over binaire getallen had gekeken. 'Het viel me ook knap tegen,' zei hij. 'Er is tegenwoordig zo goed als niets op tv,' zei ik. 'Ik vind Zorro erg leuk op tv,' zei Mohammed, 'zeker als hij kan ontsnappen, want de dikke sergeant zit hem op de hielen.' Hij giechelde. Zou hij drugs gebruiken? Dat is toch altijd weer een probleem in de schoot van een rockgroep. Ik zou daaromtrent streng optreden. Het zou zo ver gaan dat, mocht een van m'n groepsleden aan een overdosis overlijden, ik bewust niet naar de begrafenis zou gaan. Maar ik ben geen onmens. Ik zou dus een kaartje sturen met daarop de tekst: 'Gecondoleerd met de vergankenis van Mohammed. Herman Brusselmans (drummer).' Voor het overige had Mohammed gelijk wat Zorro betrof. Het was ongeveer het enige leuke programma op tv.

Nancy kwam terug. 'Waarom moet je een stuk krant gebruiken en geen normaal wc-papier?' vroeg ze. 'Dat heeft m'n grootvader ingevoerd,' zei ik, 'toen er nog geen wc-papier bestond. We houden nogal van tradities in onze familie.' 'Ik vind het vies om mij te reinigen met een stuk krant,' hield Nancy aan. 'Dan had je de oorlog moeten meemaken,' zei ik. 'Mensen die dat gedaan hebben, getuigen dat ze zich toen reinigden met een stuk kaasdoek. Stinken! Van die kaas erin te laten uitzweten natuurlijk. Ja, in de oorlog zijn vele dingen gebeurd die wij gelukkig vandaag de dag kunnen vermijden. À propos, weet een van jullie wie Fritz von Schleiper was?' 'Was dat niet een Duitser?' vroeg Nathalie. 'Dat wist ik al,' zei ik, 'de vraag is wat hij deed, en in welke hoedanigheid.' Niemand van de groep wist het. Quizzen zou ik met hen niet winnen. Toegegeven, ik wist zelf niet wie Fritz von Schleiper was. Zonder twijfel een zeer slecht mens.

Ik tikte af en we begonnen aan 'The Useless Breath'. Dat ging lekker, zeg. We waren een goede band. We repeteerden het nummer twaalf keer en toen was er een pauze, waarin ook Nathalie naar het toilet moest. Het is bekend dat vrouwen die in dezelfde omstandigheden verkeren bijna allemaal tegelijkertijd schijten. Tijdens deze pauze schreef ik een tweede nummer, getiteld 'Don't Worry about Troubles'. Het handelde over een meisje dat een leuke drummer ontmoet en eens duchtig aan z'n pik wil snokken. Uiteraard gebruikte ik verbloemende woorden als *magic*, *demeanour*, *ointment* en *Alabama*. Alweer vond Leo De Roode de bijkans perfecte riff en je had de baslijn van Erik Van Yzer moeten horen. Nu nog, meer dan dertig jaar later, denk ik bij het woord 'baslijn' automatisch aan de baslijn van 'Don't Worry about Troubles', waarvan het refrein niet zo moeilijk was mee te zingen voor de backingzangeressen. Het luidde:

Cooketeen cooketeen
Everybody loves my cooketeen

Voor we dit tweede nummer zouden instuderen kwam Nathalie terug van het toilet. Ook zij klaagde over het toiletpapier. 'Ik heb er zelfs pijn van aan mijn anus,' zei ze. We bloosden allen. Een meisje dat het woord 'anus' zomaar uitsprak was geen alledaags gebeuren. 'Ik kan heel goed pijn stillen door handoplegging,' zei ik, 'of eerder nog door vingerinsteking.' 'Een andere keer,' zei ze, 'nu moeten we verdergaan met de repetitie.' In wezen had ze gelijk. Als je het als band heel ver wil brengen dan is repeteren belangrijk. Dat had ik gelezen in een boek over bands die het ver gebracht hadden, en ik noem slechts Creedence Clearwater Revival, Grand Funk Railroad, The Allman Brothers Band, Poor People en Duck's Deluxe. 'Goed dan,' zei ik, 'het tweede nummer.' Ik gaf instructies aan Nathalie en we speelden het voor de eerste keer. Het was alsof een muzikale wereld voor ons openging. We waren zeer tevreden. 'Als we nog een derde nummer hebben,' zei Erik Van Yzer, 'kunnen we naar een platenmaatschappij stappen.' Een derde nummer, dat is gemakkelijker gezegd dan geschreven. Toch begon ik eraan. Tien minuten later had ik 'My Baby's Baby's Baby' klaar, in tegenstelling tot mijn vorige nummers een geëngageerd lied over een overgrootmoeder die de grote oversteek waagt maar overgeeft in de overzetboot, en zich de hoon van eenieder op de hals jaagt. Het refrein ging – veelbetekenend – als volgt:

Oh oh oh oh oh oh
Ah ah uh uh ah ah

Niemand hoefde mij te vertellen dat het geen meezinger was. M'n grootmoeder kwam zelfs zeggen dat ze het een leuk liedje vond. 'Maar ja,' zei ze, 'ik vond zo vele liedjes leuk.' Daarna ging ze verder kaas laten uitzweten. Het is schrikbarend hoe werklustig oude mensen waren in de vorige eeuw. Als je daarmee de oude mensen van nu vergelijkt, die doen niets anders dan met pensioen gaan, de lamzak uithangen en klagen dat er maar zestig kanalen op de televisie zijn. M'n grootvader kwam ook even zeggen dat hij onze liedjes leuk vond. Daarna ging hij verder een lap grond in voren trekken. De buurvrouw kwam zeggen dat het maar eens gedaan moest zijn met die herrie. Daarna ging ze verder met de pluk. Van wat precies, dat ben ik vergeten. En zo was het een komen en gaan van mensen in ons repetitielokaal. 'Goed,' zei ik op den duur, 'voor vandaag houden we ermee op. De volgende keer zetten we "The Useless Breath", "Don't Worry about Troubles" en "My Baby's Baby's Baby" op een cassettebandje en dat ga ik afgeven bij platenmaatschappij Sabine, waar ik via via iemand bijna ken. Zullen we nu iets gaan drinken?' Mohammed Mahmoud zei dat hij moest gaan eten; Erik Den Yzer had een afspraak met de stomatoloog; Leo De Roode wilde bijslapen na een woelige nacht; Nancy had een afspraakje met een jongen, en Nathalie had geen zin om iets te gaan drinken. Wat?! Had Nancy een afspraakje met een jongen?! Ik nam haar even apart en zei: 'Welke jongen is dat?' 'Een jongen met borsthaar,' zei ze. Daar kon ik natuurlijk niet tegenop en ik besloot ter plekke om het uit m'n hoofd te zetten dat Nancy ooit de mijne zou worden. Ik zou haar van die dag af slechts beschouwen als een backingzangeres en niet als een wijf met een buste en een preut. Dat zou mij zwaar vallen, doch wie heeft gezegd dat het leven een hemel op aarde is? Ik was ervan overtuigd dat het niet zo was, dat alle mensen in wezen slecht waren, dat je van niets of iemand iets te verwachten had, en dat we ooit ten onder zouden gaan in een poel van vuur. Maar een hit scoren, dat leek me wel wat.

12

Bij Sabine

Ik had een cassette met daarop de drie nummers van The Hidden Creators of the Sleepy Daydreams. Ik ging in m'n eentje ons repertoire pluggen bij Sabine, want de anderen hadden iets anders te doen. Drummers kunnen soms erg eenzaam zijn, zeker op de bus naar Grembergen, waar Sabine gehuisvest was. Tante Frieda had me een routebeschrijving gegeven. 'Je kunt niet missen,' had ze gezegd. Het was typisch iets voor haar om dat te zeggen. Ze voegde eraan toe: 'Vraag naar Henkie Tamtutter, die is de grote baas daar. Hij is een Nederlander, maar houdt van België, ons volk, onze koningin en onze bloed-en-bodem. Hij heeft alle boeken gelezen van Hubert Lampo.' Dat zou alvast een band scheppen. Ik stapte uit de bus en legde de rest van de tocht af te voet. Ik dacht: is dit nu mijn leven? Ik zou nog meer gedacht hebben, mocht ik niet een erg mooi meisje hebben gezien, dat helaas een huis in liep. Zou ik aanbellen en vragen: 'Mevrouw, is uw dochter thuis die ik hier daarnet zag binnenlopen?' Op die manier heeft Richard Burton Elizabeth Taylor ontmoet, vergeet dat niet. 'Ja, die is thuis,' zei mevrouw Taylor, en wat er verder gebeurde, dat weten we allemaal. Doch neen, zomaar aan een huis, een huis in Grembergen, een huis in een rij, een huis misschien wel zonder enige geschiedenis het vertellen waard, aanbellen, dat dorst ik niet. Ik belde twaalf huizen verder aan, waar zich volgens mijn gegevens Sabine bevond. Dit was een losstaand huis, met een voortuin en een achtertuin, kortom, twee tuinen. Er zijn veel van die huizen in Grembergen, dat een rijke geschiedenis heeft. Er hebben praktisch nooit arme mensen gewoond. Die gingen liever ergens anders wonen, waar ze zich beter thuis voelden. Arme mensen troepen doorgaans bij elkaar, om zich deel te weten van een gemeenschap der gelijkgestemden. We zijn allen sociale dieren en soort zoekt soort. Een vrouw deed open. Ze droeg een jurk van Irma La Douce, schoenen van Jeanne d'Arc en juwelen van Edith Piaf. 'Ja?' zei ze. 'Ik ben de drummer Herman Brusselmans,' zei ik, 'en ik kom een cassettebandje afgeven aan Henkie Tamtutter.' 'Geef het maar aan mij,' zei ze. 'Dat zie je van hier,' zei ik. 'Wie ben jij eigenlijk?' 'Ik ben Henkies vrouw Sullemie,' zei ze. Ze sprak keurig Nederlands, met een overdreven Hollands accent. 'Zit jij ook in de platenbusiness?' vroeg ik. 'Zie ik eruit alsof ik dat niet doe?' vroeg ze. 'Daar zeg ik geen ja of neen op,' zei ik. Mijn directe aanpak leek haar te bevallen en ze ging me voor naar een bureau annex woonkamer, waar een ongeveer zesjarig kind bezig was met tekenen. Het tekende een boom. Je kon niet zien of het een beuk was dan wel een plataan. Weet je wat het is? Kinderen kunnen niet tekenen. Het zijn sukkels. Ze kunnen me maar beter met rust laten. Een kopstoot aan een kind is gauw gegeven. 'Ik ga Henkie even wekken,' zei Sullemie, 'hij ligt boven in z'n bed te meuren.' Ze verdween. 'Wie ben jij nu weer?' vroeg de zesjarige. 'Iemand die je maar beter met een beetje respect kan behandelen,' zei ik, 'en kijk maar uit. Ik vergeet nooit een gezicht. Wie ben jij?' 'Ik ben het zoontje van Henkie en Sullemie, Willy,' zei hij. 'Ik ben vernoemd naar Willy Alberti. Ken je die?' 'Natuurlijk,' zei ik, 'hij heeft in de oorlog vele joden gered. Zo'n man kan niet stuk bij mij, wat jij, Willy?' 'Nee, bij mij ook niet,' zei hij, 'maar over z'n muziek ben ik niet echt te spreken. Ik ben meer een jongen van de ruige rock-'n-roll.' Hij droeg inderdaad puntlaarzen. Hoe laag kan je vallen als ouders om je zesjarige zoon puntlaarzen te laten dragen? Waar bleef die Sullemie? Is het nu zo moeilijk om een man die ligt te meuren te wekken en hem mee te brengen naar beneden, waar een drummer met een cassettebandje op hem wacht? 'Heb je wat te drinken in huis?' vroeg ik aan Willy. 'Daar gaat m'n moeder over,' zei hij, en hij ging door met tekenen. Nu was de zon aan de beurt, die scheen hoog boven de boom. Hij tekende uiteraard een cirkel, terwijl de zon eirond is, dat weten we al sinds de jaren dertig. Nu stop ik en ik schrijf maar 'ns een dagje niet. Zo, het is thans zestien september en het verhaal wordt verder gezet. Waar zat ik? Nou, ik bevond me bij Henkie en Sullemie Tamtutter en hun zoon Willy, die een zon zat te tekenen, de eikel. Ik ken vele onuitstaanbare kinderen, maar die Willy sloeg alles. Zo'n domme smoel dat die kleine had. Ik negeerde hem door in een spiegel die daar hing te staren. Persoonlijk had ik een erg mooi gelaat, slechts strategisch ontsierd door acne en de occasionele puist. Vervolgens keek ik naar de boekenkast van de Tamtutters. Het waren bijna allemaal boeken over tuinieren, muziek en dergelijke dingen meer. Ook een paar romans van Hubert Lampo. Een dikke man kwam binnen. Hij wiste zich het zweet van de fees. Hij had een kapsel zoals dat van Joke Bruijs. Wat een homofiel. 'Kom jij een cassettetje brengen?' vroeg hij. 'Ja, meneer Tamtutter,' zei ik, 'u moet trouwens de groeten hebben van m'n tante Frieda, met wie u ooit de langspeelplaat *Weerklinkt daar niet de banjo bij nacht?* hebt gemaakt.' 'Ja, doe haar de groeten terug,' zei hij. Hij ging zitten en boerde. 'Die panharing is verkeerd gevallen,' zei hij, 'Willy, ga 'ns naar apotheker Duchasseur om een stelletje Rennies te halen voor je ouwe.' Hij gaf de kleine geld. 'Tot straks, pappie,' zei Willy, en hij trok z'n jas aan, terwijl het toch niet zo fris was. 'Ja, kinderen,' zei Tamtutter, 'ze zijn nog maar net geboren en voor je het weet zijn ze zes jaar oud, binnenkort zeven. En ik heb al twee kinderen uit m'n vorige huwelijk, met Sabine Kwagebhuer. Onze Floris moet nu drieëntwintig zijn en machinist bij de spoorwegen. Onze Freule is rond de negentien en studeert massapsychologie.' 'En Sabine?' zei ik. 'Wat doet die voor de kost?' 'Sabine?' zei hij. 'Die dopt haar boontjes wel. Ze is hertrouwd met een miljonair. Een leuke vent. Met een snor. Ik wou dat ik er zelf zo een had.' 'Waarom heb je die niet?' vroeg ik. 'Zie je mij al met een snor?' vroeg hij. Hij hield z'n wijsvinger horizontaal onder z'n neus, om te illustreren hoe hij eruit zou zien met een snor. Het was geen gezicht. Er weerklonk een gerommel, gevolgd door een bonk. 'Wat is dat nu?' zei hij. Hij deed de deur open van de woonkamer en daar lag Sullemie op de grond. 'Ik ben van de trap gevallen,' verklaarde ze. 'Sta op en wandel,' zei Henkie. Dat deed ze. Ze kwam erbij zitten en wreef over haar knie. 'Pijn,' zei ze, 'pijn dat het doet. Ik heb nog nooit in m'n leven zo veel pijn gehad.' 'Ik wel,' zei ik, 'toen ik door onze os Greenpeace per ongeluk op de horens werd genomen en tegen de staldeur gekwakt. Doch alles is nog goed gekomen.' Ik had dorst. 'Mag ik jullie iets aanbieden?' zei ik. 'Nee, dank je,' zei Henkie, 'ik wacht nog een uurtje met m'n namiddagsherry.' 'Ik ook niet,' zei Sullemie, 'vanwege de hevige pijn aan m'n knie, die me belet te eten of te drinken.' 'Ik zou anders wel een glaasje lusten,' zei ik. 'Nee, toch maar niet,' zei Henkie. Hoe is het mogelijk? Een jongen uit Hamme zit daar zo ongeveer te verdorsten en in Grembergen wordt hem niks aangeboden. Door Nederlanders van afkomst dan nog! Ik besloot een gesprek over koetjes en kalfjes over te slaan, bijvoorbeeld over het oeuvre van Hubert Lampo, en ter zake te komen. Doch Henkie was me voor en zei: 'Dan zal ik nu naar je cassette luisteren, kom maar mee naar de tuin, waar m'n studio staat. Sullemie, trek jij intussen je speciale kleren aan en gesp je dildo om. Ik ga je mij straks laten naaien tot ik blauw zie.' 'Maar m'n knie doet pijn,' zei ze. 'Ik zal van je knie afblijven,' beloofde Henkie, 'al zal dat me moeilijk vallen.' Het is toch niet te geloven hoeveel smerige perverten er rondlopen.

Ik volgde hem naar de tuin, waar inderdaad een studio stond. Onderweg zei hij: 'Het is altijd wat met de wijven. Heb jij een vriendinnetje?' 'Ik wacht nog op de ware,' zei ik. 'Vind je alleen meisjes leuk?' vroeg hij, de flikker. 'Alleen meisjes,' zei ik, 'en houd nu maar op met die double entendre of ik steek die raak die daar ligt in je reet.' 'Die wat?' 'Die raak.' Ik wees de raak aan. Nederlanders weten niet altijd wat een raak is. 'Oké,' zei hij, 'ik heb het begrepen.' 'Als je dat maar weet,' zei ik, 'ik ben een geoefend vechter. We hebben thuis een vee- handel.' Hij kromp in elkaar. We liepen de studio binnen. Wat een krakkemikkig geval. Maar ja, je moet ergens begin- nen. Ik gaf hem de cassette. Hij stak hem in een deck, zette een koptelefoon op en ging in een luie stoel zitten. Ik bleef staan. Na een tijdje was hij klaar met luisteren. Hij nam de koptelefoon van z'n vette hoofd, en zei: 'Ik ben hier heel en- thousiast over. Het eerste nummer wordt de a-kant van een single, de twee andere nummers komen op de b-kant. Bin- nenkort nemen we de single hier op. Ik wil ook de rol van im- presario op mij nemen en zorgen voor optredens. Geef me je telefoonnummer en dan bel ik zo snel mogelijk om alles te regelen.' Ik schreef het telefoonnummer op een leeg blad pa- pier dat daar zomaar lag. 'Dankjewel,' zei ik, 'tot ziens.' 'Hoe heet de groep?' vroeg hij nog. 'The Hidden Creators of the Sleepy Daydreams,' zei ik. 'Goeie naam,' oordeelde hij. Ik ging weg. Wat later zat ik op de bus naar huis. Ik was vol blijdschap, maar liet die niet merken. Blijdschap kan snel omslaan. Daar ben ik voor beducht. Als je blij bent verlies je een boel van je mogelijkheden. Een man sprak mij aan. Hij zei: 'Weet jij wel dat het einde van de wereld nabij is?' Ik liep naar de buschauffeur en zei: 'Die man valt me lastig, met z'n pet op.' 'Dat is meneer Frammerie,' zei de chauffeur, 'die valt niemand lastig.' 'Hij zeikt over het einde van de wereld en daar kan ik niet tegen,' zei ik. 'Daar zou je beter wel tegen kunnen,' zei de chauffeur, 'want op 12 februari is het zover.' 'Het is Frammerie van de bus of ik van de bus,' zei ik. Hij stopte. 'Tot ziens,' zei hij. 'Tot ziens,' zei ik. Ik bevond me op 9 kilometer van Hamme. Ik kon die overbruggen door te stappen, en te hopen dat ik het zou halen. Ik kon ook weer gaan liften. Een vrachtwagenchauffeur stopte. Ik stapte in. 'Goeiemiddag,' zei hij, 'zeg maar Ronny. Waar moet je heen?' 'Theet 77, te Hamme,' zei ik. 'Dat is niet ver,' zei hij, 'ik heb het al verder meegemaakt. Nu kom ik van Wladiwostok, waar ik een lading hagel voor in geweren heb afgeleverd.' 'Dat jij zomaar wil meehelpen aan de wapenwedloop, Ronny,' zei ik. 'Wat wil je,' zei hij, 'ik heb een kindermond te voeden. En m'n vrouw is niet helemaal wel.' 'Wat heeft ze?' 'Ze denkt dat ze een betonblok is. Het zit allemaal in haar hoofd. Maar mensen als ik gaan niet met hun vrouw naar psychiaters, dat komt pas in de mode in de jaren negentig.' 'Dat weet ik,' zei ik, 'al ga ik al naar een psychiater in 1984. Later naar een betere in 1998, nog steeds in verband met m'n angstproblemen. Hij zal me helpen tot in 2005, als ze in volle hevigheid terugkeren.' 'Ik wou dat we al in 2005 waren,' zei Ronny, 'tegen dan zal ik niet meer hoeven te rijden met deze verschrikkelijke vrachtwagen. Ik droom alleen nog maar van nietsdoen. Ik heb er een gedicht over geschreven. Wil je het horen?' 'Nee,' zei ik. 'Mensen die m'n gedicht niet willen horen zijn het niet waard om in m'n vrachtwagen te zitten,' zei hij, en hij stopte. Ik stapte uit. Ik was 7 kilometer van Hamme verwijderd. De andere leden van The Hidden Creators of the Sleepy Daydreams zouden 'ns moeten weten wat ik allemaal overhad voor de groep. Beschikte ik maar over een Suzuki, dan kon ik rijden op eigen kracht. Gedurende de voettocht werd veel duidelijk wat al langer duidelijk was, waarom niet al vanaf de moederschoot. Het is allemaal lijden. Je denkt: ik voel me goed, en al wat je voelt is wat de goedheid kapot zal maken, in een slechte vermomming, te doorzien door hij die z'n verstand gebruikt en dat tegen wil en dank wenst te doen. Het is allemaal aangeboren. De eeuwigdurende angst moet ergens vandaan komen. Er zijn maar vier hoeken om in te schuilen. Een jongen van veertien sleept een grijsaard mee. De toekomst hoeft niks anders te doen dan te wachten. Je hebt een platencontract en je hoopt de wereld te veroveren. Ik niet. Ik hoopte alleen mezelf te veroveren, en ook dat was tevergeefs, zoals later zou blijken, waarom niet al in de volgende minuut. Negeren is de enige echte levenskunst. Kalfjes dartelden in de wei, beschermd door koeien met de ogen vol schrik. Weet je, koeien willen niet dat hun kalfjes binnenkort, heel binnenkort, afgeslacht zullen worden. Koeien zijn niet slim, maar ze zijn ook niet dom. Ze zijn hogere schepselen, want ze ademen. Alles wat ademt is bang en snijdt verdriet op maat. Snuffel, kom terug.

Ik kwam thuis. 'Hoe is het geweest, jongen?' vroeg m'n moeder. Ze ademde. Tot 6 juli 1992 zou ze ademen. 'Prima, ma,' zei ik, 'er is reden om te feesten.' 'Zoek ergens een goed plekje om dat te doen,' zei ze. 'De goede plekjes bestaan niet, ma,' zei ik. Ze kreeg tranen in haar ogen. Ik had enkele van die tranen moeten sparen. Maar wie spaart in godsnaam tranen van z'n moeder als hij weet dat ze daarna nog wel meer zal huilen? Er zijn duizend mogelijkheden. Ze komen alle duizend te laat.

13

Het feest

Er werd beslist om te feesten omdat er een platencontract was. Het feest vond plaats bij Erik Van Yzer. We hadden strootjes getrokken. Op de koop toe blijkt uit de geschiedenis van de muziek dat de beste feesten altijd gegeven worden door bassisten. Erik Van Yzer had beloofd dat hij, naast de groepsleden, nog een paar andere interessante mensen zou uitnodigen. Ik wist niet dat hij interessante mensen kende. Ik wist wel dat interessante mensen niet bestonden. Het feest was om zeven uur 's avonds. Ik belde aan bij de Van Yzers. Eriks moeder deed open. 'Dag Yvette,' zei ik. 'Herman, kom binnen,' zei ze, 'je bent de eerste.' 'Ja,' zei ik, 'ik ben altijd overal te vroeg. Dat zit in de familie. We zijn ooit naar de middernachtsmis geweest om tien uur.' Ik volgde haar naar de woonkamer. Daar stond een potje met chips en een aantal lege glazen. Erik Van Yzer zat naar *Zorro* te kijken. Ik ging zitten op een goedkope stoel uit de jaren zestig. 'Zorro heeft een mooi rijdier,' zei ik. Daar reageerde niemand op, terwijl ik toch gelijk had. Zo'n zwart paard als dat van Zorro, dat zou ik wel in m'n collectie willen, als ik paarden had. De knecht van Zorro was stom, dat weten we allemaal. Toch kon hij alles uitgelegd krijgen, met gebaren en met de mimiek van z'n domme smoel. Ik haatte hem. 'Wil je een glaasje limonade, Herman?' vroeg Yvette. Ja, zo'n limonade, die zou er wel in willen. Ze nam een leeg glas, verdween ermee naar de keuken, en bracht het terug gevuld met oranje limonade. Ze zou er toch geen gif in hebben gestrooid? Dat denk ik niet. Zeker ben je nooit. Een eenvoudige huismoeder als Yvette kan een moordzuchtig karakter in zich herbergen. De telefoon rinkelde. Yvette nam op. 'Hallo, bij de familie Van Yzer,' zei ze, alsof het iemand interesseerde. 'Erik, het is voor jou,' deelde ze mee en ze gaf de hoorn aan haar zoon. 'Ja?' zei die. 'Oké dan.' Hij hing op. 'Leo kan niet komen,' zei hij, ''z'n moeder heeft een toeval.' 'Een wat?' vroeg Yvette. 'Een toeval,' zei Erik. 'Dat arme mens,' zei Yvette, 'en ze is nog maar net hersteld van haar botverzakking.' 'Wat was dat voor botverzakking?' vroeg ik. Ik ben geboeid door medische onderwerpen. Als ik iets hoor wat medisch is, denk ik altijd dat ik het zelf ook onder de leden heb. Zelden zo'n hypochonder tegengekomen als ik. Op dit moment, bijvoorbeeld, voelt m'n lijf nog maar 'ns aan alsof het rijp is voor de sloop. Ik heb vandaag nog gebeld met m'n neuroloog en die gaat me alweer andere pillen voorschrijven. 'In haar rug,' zei Yvette. 'Ach zo,' zei ik. De dikke sergeant zat Zorro achterna. Eigenlijk haatte ik hém ook. Ik denk dat de acteur die de dikke sergeant speelde geen leuke vent was. Een venijnig, chagrijnig mannetje. Dik uit frustratie. Toch aan een rolletje gesukkeld in een serie die ondanks de zwakke scenario's de moeite waard was om wereldberoemd te worden. M'n rug, die is volgens mij behoorlijk sterk. 't Is m'n nek die het 'm doet. Altijd maar pijn, zeker als ik ineens m'n kop omsnok, omdat ik denk dat er achter mij iets gedenkwaardigs gebeurt. Ik hoop er derhalve op dat alle gedenkwaardige gebeurtenissen zich vóór mij afspelen. Er werd aan de deur gebeld. 'Zijn dat de interessante mensen, denk je?' vroeg ik aan Erik Van Yzer. 'Dat zou kunnen,' zei hij. Yvette ging opendoen. Ze kwam terug met Nancy, die zei: 'Ik kom even zeggen dat ik niet kan blijven. Ik ga met Kurt naar de bioscoop.' Ze zei het zonder schaamte. Die Kurt stond trouwens naast haar. 'Ga morgen naar de bioscoop,' zei ik, 'die film loopt niet weg. We hebben iets te vieren. Dat wil ik in groepsverband doen.' 'Nee,' zei die Kurt, 'we gaan naar de bioscoop.' Nancy keek verliefd naar hem. Ik begreep het niet, en zal het nooit begrijpen. Hoe meisjes, vrouwen zelfs, verliefd blijven kijken naar verkeerde mannen. Slechte mannen. Complete debielen en onuitstaanbare rotzakken. 'Tot morgen op de repetitie,' zei ze. Ze verdwenen. 'Nog een glaasje limonade?' vroeg Yvette. 'Ik heb nog,' zei ik. De man van Yvette, Jean, kwam binnen. Hij ging zitten, en zei: 'Herman, hoe gaat het nog met je oom Theo?' 'Met hem gaat het uitstekend, dankjewel dat je het vraagt, Jean,' zei ik. 'Hij is me er eentje,' zei hij, 'als je hem tegenkomt, zeker met z'n makker lange Robert, en die twee beginnen te vertellen, kom je niet meer bij.' Hij lachte. 'Ik herinner me die keer toen ze...' 'Jean,' onderbrak Yvette hem, 'zou je niet beter eerst naar je moeder rijden met de eieren?' 'Ja, dat is waar,' zei hij, 'het is vandaag eierendag.' Hij stond op, en zei: 'Jongens, amusement.' 'Dankjewel, Jean,' zei ik. Erik Van Yzer zei niets. Hij bleef maar naar Zorro kijken, die op dat ogenblik, als don Diego, tegen iemand zei dat het een lekkere bonenschotel was. Jean ging weg langs de achterdeur. De bel ging. Even later was daar Nathalie. 'Ga zitten, Nathalie,' zei Yvette. Ze deed het, en op de vraag of ze een glaasje limonade wilde antwoordde ze bevestigend. 'Is Nancy hier nog niet?' zei ze. 'Die is met haar lief naar de bioscoop,' zei ik, 'wat het groepsgevoel niet ten goede komt, dat verzeker ik je. Dit staat me niets aan. We moeten samen één front vormen. Als we het willen maken als groep moeten we naar de feestjes komen die we zelf organiseren, anders is er weinig aan.' 'Ik was ook bijna niet gekomen,' zei Nathalie, 'omdat ik ruzie had met m'n broer. Hij wil m'n Adolfs kopen voor drieduizend frank, de vrek. Terwijl ik er vijfduizend frank voor wil. Ik was zo kwaad op hem dat ik...' Yvette gaf haar een glaasje limonade. Ze nam een slok. Ze zweeg verder over de ruzie met haar broer en waarom die ruzie een reden zou zijn om bijna niet naar ons feestje te komen. Vijfduizend frank voor zo'n Adolf. Die griet is gek zeker? 'Ik vind Zorro's paard erg mooi,' zei Nathalie. 'Dat zei ik net ook nog,' zei ik. Er werd gebeld. Mohammed Mahmoud was daar. Waar bleven de interessante mensen die Erik Van Yzer had uitgenodigd? Ik was er zo goed als zeker van dat Erik die had verzonnen. Hij was een merkwaardige jongen, die leefde in een fantasiewereld. Welke fantasiewereld dat was, daar ben ik nooit achter gekomen. 'Aha, *Zorro*,' zei Mohammed, terwijl hij ging zitten. Yvette vroeg of hij een glaasje limonade wilde. 'Ja graag,' zei hij, en hij nam een chip. Juist ja, de chips. Die zou een mens nog vergeten. Ik greep er een handvol van en propte ze in m'n mond. Het kraakte dat horen en zien verging. Zorro was gedaan. Wat kwam er in die tijd na *Zorro* op tv? Dat zou ik moeten opzoeken. Met het nieuws zit je altijd goed. Maar welk nieuws? Nou ja, een staking onder het spoorpersoneel, die is van alle tijden. En Nixon die een bezoek brengt aan een Oostblokland. En een man die een auto heeft uitgevonden die op koolzuur rijdt, waarom niet op zuurkool, wat kan mij het schelen. En dan nu de sport. Raoul 'Lotte' Lambert, de spits van Club Brugge, heeft tijdens de training z'n enkel gebroken. Over naar onze verslaggever. 'Raoul, hoe kwam dat?' 'Kwéni wè.' 'Terug naar de studio.' Mohammed nam ook een handvol chips. 'Mag je dat eten van je godsdienst?' vroeg Erik Van Yzer. 'We zijn thuis niet zo streng,' zei Mohammed. 'Mijn vader wil dat zijn kinderen de Vlaamse identiteit aannemen. Hij vindt het een goed idee dat ik in een rockband zing. Mijn moeder is er minder tevreden over. Ze heeft zich al drie dagen lang opgesloten in de kelder.' 'Wie doet het huishouden dan?' vroeg Yvette. 'Mijn zus Bafgul,' zei Mohammed. 'Dat is een mooie naam,' zei Yvette, 'Bafgul.' 'Het betekent "aardverschuiving in de rozenstruik",' zei Mohammed. 'Mijn vader wist dat niet, toen hij die naam bedacht.' 'Toch is het een mooie naam,' zei Yvette. Ze nam een handvol chips. De chips waren op. 'Mijn echte naam betekent "heil-zaamheid tijdens de geluksweek",' zei Nathalie. 'Wie heeft dat bedacht?' vroeg ik. 'De grote Kazak,' zei ze. Het feest bereikte langzaam zijn hoogtepunt. 'Komen er nu nog mensen of niet?' vroeg ik. 'Ik denk van niet,' zei Erik Van Yzer. 'Wie kwam er dan?' vroeg z'n moesje. Dat wilde ik nu ook eindelijk wel 'ns weten. 'Twee vrienden met wie ik wel 'ns iets ga drinken,' zei Erik Van Yzer. 'Het zijn toch brave jongens?' vroeg Yvette. 'Die ene wel,' zei Erik. 'Wil er iemand nog limonade?' vroeg Yvette. Ze droeg een plissérok en een blouse die met zorg was uitgekozen voor de dagelijkse dracht. Ze was niet meer of minder dan een doordeweekse volksvrouw. Intussen leek het me duidelijk dat ze geen gif in de limonade strooide. We zaten naar het nieuws te kijken. Terwijl we daarmee bezig waren kwam Jean reeds terug. Hij ging zitten. 'Gezellig,' zei hij. 'Was je moeder tevreden met de eieren?' vroeg Yvette. 'Je kent haar,' zei Jean, 'altijd maar klagen over de eieren. Verder ging het goed met haar. Haar wond ruikt niet meer zoals vorige week.' 'Wat voor wond is het?' vroeg ik. Jean en Yvette keken elkaar fronsend aan. Het was ten slotte Yvette die zei: 'Daar spreken we niet graag over.' 'Excuseer dat ik het vraag,' zei ik, 'het is maar dat alles wat met wonden te maken heeft me boeit.' 'Wil je dokter worden misschien?' vroeg Jean. 'Vroeger wel,' zei ik, 'maar tegenwoordig weet ik het niet zo goed meer. Ik zou wel tot aan m'n pensioen drummer willen zijn.' 'Ik heb ooit een drumstelletje uitgevonden voor blinden,' zei Jean, 'maar het bestond al. Dat was jammer. Maar de volgende dag vond ik de putbal uit. En zo is het bestaan van een speelgoeduitvinder er een van vallen en opstaan.' 'Ik moet gaan eten,' zei Mohammed. 'Bedankt voor de ontvangst, mevrouw en meneer. Erik, Herman en Nathalie, tot de volgende repetitie.' 'Ja,' zei ik, 'maar we hebben ook nog wat anders te doen. We moeten bepalen hoe onze looks eruit moeten zien. Als we gaan optreden moeten we bepaalde looks hebben. Laten we er met z'n allen afzonderlijk over nadenken en dan onze bevindingen bij elkaar leggen.' 'Oké,' zei Mohammed. Hij ging heen. Nathalie ging ook weg. Ik bleef nog even, waarna ik naar huis fietste. Het feest was voorbij.

14

Looks

We waren bezig met een goede repetitie. Nu we wisten dat we binnenkort een plaat zouden mogen maken zorgden we ervoor dat onze drie eerste nummers op punt stonden. 'Nog één keer alle drie de songs,' zei ik om twintig over zeven. Op dat moment kwam m'n grootmoeder binnen. 'Ik had een idee,' zei ze, 'wat zouden jullie ervan denken als ik meespeel op de piano?' 'Nee, grootmoeder,' zei ik. 'Heel goed,' zei ze, 'm'n pianospel is toch verwaterd door de jaren heen. Wat zou je willen met dit soort reuma.' Ze liet haar handen zien. In groepsverband keken we ernaar. Ja, die zagen er behoorlijk reumatisch uit. 'Hoe komt dat, mevrouw?' vroeg Mohammed Mahmoud. 'Van vijfenzeventig jaar koeien melken,' zei m'n grootmoeder. Zo was het niet moeilijk om reumatische handen te krijgen. 'Gefeliciteerd daarmee,' zei Mohammed, zonder twijfel doelend op haar prestaties op melkgebied. 'Dankjewel, jongen,' zei ze. 'Ga nu maar door met repeteren, ik ga naar m'n vriendin Gusta om de toestand in de wereld te bespreken.' Ze verliet de koeienstal. 'Na deze korte onderbreking,' zei ik, 'doen we vandaag dus nog één keer alle drie de songs. We beginnen met "The Useless Breath".' Ik was best wel trots op die song. Het kon een toptienhit worden, ook in het buitenland. Het is echter moeilijk te voorspellen of je een hit zal hebben of niet. Vaak niet, soms wel, zelden omgekeerd. Ik tikte af en zette m'n beat in. Erik Van Yzer viel in op nagenoeg het juiste moment, wat op een haar na het sein was voor Leo De Roode om voor de gitaarklanken te zorgen die de de song mede maakten tot wat hij was. Toen was het wachten op het zingen van Mohammed Mahmoud, nu en dan bijgestaan door Nancy en Nathalie.

I woke up this morning and my eyes were shut
I opened them and saw a little cabooter
I asked him to bring a naked girl
He laughed me damned in my face
Can you believe that?

Tsjoelala Tsjoelala

But I said to him that I was serious
And wanted a girl with big tits
The cabooter would not listen to me
He ignored me definitely
And rode away on his Mobylette

Tsjoelala Tsjoelala

I was very sad the cabooter was gone
That bastard of an ugly dwarf he was
He would never bring me the girl
So I had in fact to find her myself
I hoped she wore a miniskirt

Tsjoelala Tsjoelala
Tsjoelala Tsjoelala

Nog één keer werd het refrein herhaald door zowel Mohammed als Nancy en Nathalie, waarna Leo De Roode nog een uitermate aangrijpende gitaaruithaal ten beste gaf, en aldus, niet nadat ik een ultieme cimbaalslag uit m'n Ludwig perste,

'The Useless Breath' afsloot. Ik liet er geen gras over groeien en ging meteen, met een paar simpele meppen, over naar 'Don't Worry about Troubles'. Mohammed haalde diep adem en zong hartverscheurend:

A magic baby wanted a drummer boy
In demeanour or in perfect crime
To take what is called the thingy
And give it some little pulls

Cooketeen cooketeen
Everybody loves my cooketeen

She suggested to put some ointment on it
But he was afraid of that kind of shit
So he said no to the beautiful girl
And oh my God she cried a lot

Cooketeen cooketeen
Everybody loves my cooketeen

Then a cabooter came from Alabama
And asked the girl what it was
But she was afraid of cabooters
And never would touch thingies again

Cooketeen cooketeen
Everybody loves my cooketeen

Ja, schitterend. Zo hoorde het. Meteen over naar 'My Baby's Baby's Baby'.

Oh oh oh oh oh oh
Ah ah uh uh ah ah

Overgrandma in boat, over the water, threw up
Everybody hates her

Oh oh oh oh oh oh
Ah ah uh uh ah ah

Cabooter kicks her in the ass
She falls overboard
Everybody hates cabooter
They threw him overboard

Oh oh oh oh oh oh
Ah ah uh uh ah ah

Never travel in a boat
If you're overgrandma or cabooter
Oh no oh no oh no

Oh oh oh oh oh oh
Ah ah uh uh ah ah

Het was een set om handen en vingers bij af te likken. Even voelden we ons de koningen van de wereld. Het zweet stond op ons voorhoofd. 'Ik moet gaan eten,' zei Mohammed. 'Nee,' zei ik, 'het eten moet maar wachten. We hebben nog een belangrijke beslissing te maken. Onze looks. Hoe gaan we eruitzien terwijl we de muziekscene veroveren?' Omdat ik een voorstander ben van, zolang het duurt, een democratische benadering van het groepswezen, mocht eenieder om beurt zeggen hoe hij z'n eigen looks wilde bepalen. 'Wel,' begon Nancy, 'ik denk aan m'n groene jurkje met daarop de blouse die ik heb gekregen van tante Foos, en natuurlijk m'n nieuwe bruine laarsjes.' Iedereen knikte goedkeurend. Die Nancy wist zich te kleden. 'Ik,' zei Nathalie, 'houd het op een fluwelen broek, m'n T-shirt met daarop YELLOW GIRL IN THE SUN en m'n Kickers.' 'Prima,' zei ik, 'alleen vind ik die fluwelen broek misschien toch niet wat ik in gedachten had.' In gedachten had ik natuurlijk helemaal géén broek, zodat je haar pruim kon zien, maar kan je dat zeggen met al die anderen erbij? 'Oké dan,' zei ze, 'dan kies ik voor een stoffen broek.' 'Het doet me plezier om dat te horen,' zei ik. 'Dan nu de jongens. Ik begin bij jou, Erik.' 'Ik draag wat ik altijd draag,' zei hij. In zijn geval leek me dat een goed idee. 'Ik ook,' zei Leo De Roode. Ik bespeurde, wat de jongens betrof, enige eentonigheid in de looks, en daarom zei ik: 'Ik zal dan maar iets anders dragen.' Ten slotte was er het geval Mohammed. 'Ik wil me westers kleden,' zei hij, 'zoals ik me al westers heb gekleed sinds m'n vader ontdekte dat je niet als moslim gekleed hoeft te gaan om Allah te plezieren.' 'Daar wil ik het gerust mee eens zijn,' zei ik, 'maar zou je toch niet een of andere sjaal rond je hoofd draperen? Er zijn weinig bands met een zanger met een sjaal rond z'n hoofd.' 'Ik zal erover nadenken,' zei Mohammed, 'maar ik kan niets beloven. Of wacht 'ns... Ja, op zolder ligt nog een islamitische sjaal die m'n grootvader ooit heeft opgestuurd nadat hij die zelf niet meer mocht dragen omwille van z'n hersentumor. Ja, die zal ik dragen, als eerbetoon aan m'n arme opa.'

The Hidden Creators of the Sleepy Daydreams hadden hun songs en hun looks, en de toekomst leek hen met een brede grijns toe te lachen, tot er iets gebeurde wat duidelijk zal worden in het volgende hoofdstuk van dit gedurende vele eenzame nachten geschreven boek van mijn hand.

15

Nancy stopt ermee

Nancy belde en zei dat ze ermee stopte. Het was alsof ik een dreun op m'n kop kreeg met iets wat in de pers vaak wordt omschreven als een stomp voorwerp. Ik trilde en beefde over m'n hele lijf en wist dit slechts te doen ophouden door aan iets anders te denken. Niettemin zei ik tegen Nancy: 'Ik kom meteen.' Ik legde de hoorn neer en zei tegen m'n moeder: 'Ma, Nancy wil stoppen. Ik moet nu naar haar toe.' 'Dat begrijp ik, m'n jongen,' zei m'n moeder. 'Wel voorzichtig zijn. Dat je niet valt. En altijd beleefd zijn tegen de ouders van Nancy.' Ik prentte deze goede raad in m'n hoofd, spurtte naar buiten, sprong op m'n fiets en reeds spoorslags naar Nancy's huis. Allicht, zo dacht ik onderweg, is het die flurk met z'n borsthaar die niet wil dat ze beroemd wordt. Die bang is dat hij eeuwig in haar schaduw zal staan. Dat hij gedurende de rest van z'n povere bestaan alleen nog aandacht zal krijgen omdat hij de vriend is van Nancy van The Hidden Creators of the Sleepy Daydreams en om geen enkele andere reden. Ik ken dat soort gasten. Onderweg zag ik hoe een eekhoorntje uit een boom was gevallen. Ik kneep m'n remmen dicht. Ik stapte af en begaf me voorzichtig naar het diertje. Had het een pootje gebroken? M'n broer, die, als het met het voetbal mis zou gaan, ooit dierenarts wilde worden, had het kunnen weten. Maar m'n broer was met de beste voetbaljongeren van Vlaanderen op driedaagse naar Luxemburg. Ik miste hem zeer, maar ja, als hij een voetbalcarrière wilde opbouwen moest hij nu en dan z'n kleine broertje achterlaten, en eveneens z'n ouders, zusje, grootouders en vele anderen. Ik nam het beestje in m'n handen. Het ademde zwakjes. Om te tonen dat ik niets verkeerds van zins was ademde ik ook zwakjes. Ik fluisterde het enige sussende woordjes in het oor. Die woordjes ben ik nu, zo vele jaren later, vergeten. Opeens sprong het uit m'n handen en liep het weg, het bos in. Weer had ik een weerloos dier van een wisse dood gered. Ik sprong opnieuw op m'n fiets en reed door naar het huis van Nancy's ouders. Ik had wind tegen. Maar zo'n bries kan een jongen van stavast niet uit zijn koers brengen. Vandaar dat ik op het fietspad bleef rijden. Ik heb in wezen altijd tussen de lijntjes gekleurd. Noem me een rebel, maar dan wel een rebel die zo voorzichtig is dat hij de rebellie niet beheerst. Een bang ventje. De wereld willen veroveren en daarbij de drang voelen om zich onder z'n bed te verschuilen. Zich beschermen door ervan uit te gaan dat alles en iedereen slecht is. Zich behoeden voor ontgoochelingen. De hoofdcomponent van m'n bloed is gif. Geen dokter die het eruit kan halen, ondanks al die pillen. M'n hersens zitten in een zweefvliegtuig en m'n brein is niet de beste piloot die ik me kan voorstellen. Al m'n dromen, ze zijn hun simpelheid nooit ontgroeid. Op m'n veertiende was ik al de man van zevenenveertig die schrijft dat hij net zo goed opnieuw veertien zou kunnen zijn. Maar dat zou niet de waarheid zijn. Op m'n veertiende had ik nog niet zoveel geleden. En was ik niet zo vaak gelukkig geweest. Wel dacht ik vaak: zal ik de zevenenveertig halen? Die heb ik gehaald, als het goed gaat binnenkort de achtenveertig, maar wat nu? Op dit moment heb ik zin om te gillen, maar ik vind de juiste woorden niet. Voort, altijd maar voort, het zoveelste lijk uit mij wegsnijden en verdergaan als levende.

Ik belde aan. Pristina deed open. 'Goeiemiddag mevrouw,' zei ik, 'ik ben hier met een missie. Kan ik Nancy spreken?'

'Nancy is even naar de kruidenier,' zei ze, 'om boodschappen te doen. Maar kom binnen.' Ik volgde haar naar een niet zo ruime woonkamer, waarin meubelen de boventoon voerden. Aan de muur hing een schilderij met daarop de afbeelding van een foto. 'Bent u dat, op dat schilderij?' vroeg ik. 'Nee,' zei ze, 'dat is m'n moeder, net voor haar breuk. Ga zitten. Wil je iets drinken?' De vorige keer, aan de telefoon, was ze vrij onvriendelijk geweest, maar nu viel het mee. 'Geef mij maar zo'n lekker pilsje,' zei ik. 'Ben jij niet wat te jong om te drinken en zo ja, waarom doe je het dan?' vroeg ze. 'Omdat ik wil oefenen voor als ik oud genoeg ben,' zei ik. Ze zuchtte diep en begaf zich naar de keuken. Ik zat op een bruine zetel. Het duurde geen minuut of er kwam een man binnen die zodanig op Nancy leek dat je gedacht zou hebben dat hij haar vader was. Hij bevestigde dit, en zei: 'Zeg maar Flup.' 'Dag Flup,' zei ik. Hij vroeg nog maar eens hoe ik heette en ik zei Herman. 'Jij lijkt erg op Gust Brusselmans,' zei hij, 'is dat soms je vader en heet je moeder Lea?' 'Ja,' zei ik, 'ja.' 'Dan ken ik je van naam,' zei hij. Er viel een stilte. Daar was Pristina echter met een pilsje. 'Aha, een pilsje,' zei Flup. 'Nee nee,' zei Pristina, 'dat is voor die jongen hier. Wat wil jij, Flup?' 'Een pilsje,' zei hij. Ze verdween naar de keuken. Ik nam een slok en veegde het schuim van m'n gezicht. 'Toen ik zo jong was als jij,' zei Flup, 'dronk ik ook al. Een keer was ik zo dronken dat ik heb gewonnen met de loterij. Ik wist niet welke cijfers ik invulde, zo zat was ik.' 'Hoeveel won je, Flup?' vroeg ik. 'Ik geloof wel duizend frank,' zei hij. 'Veel geld in die tijd,' gokte ik. 'Nee,' zei hij, 'weinig geld.' Pristina bracht 'm z'n bier. Hij nam een slok. We zaten daar als drie onnozelaars. Ik ben nooit erg goed geweest in op bezoek gaan bij mensen. Altijd weer ligt, bij een stilte, de zin dat het lekker weer is op m'n lippen bestorven. Ik probeer, met wisselend succes, telkens iets anders te zeggen. Nu zei ik: 'Wat doe jij beroepsmatig, Flup?' 'Ik zit in de auto's,' zei hij. 'Ik koop oude auto's op en in m'n atelier probeer ik ze zodanig op te knappen dat iemand ze van mij koopt. Nu ben ik bezig aan een Opel 1900. Ken je dat model?' 'Natuurlijk ken ik dat model, Flup,' zei ik, 'ik heb er eergisteren nog een zien rijden. Of nee, het was de dag ervoor. Lekker weer, vind je niet?' Waar bleef die godverdomde Nancy? Moet het altijd zo lang duren om boodschappen te doen? Nochtans praat ik graag over auto's, maar wat me stoorde was dat Flup een dreigende uitstraling had. Ik dacht: zo meteen haalt hij een krik uit z'n overall en slaat hij me daarmee de kop in. Pristina ging ook zitten. Ze begon te huilen. 'Onze Clovis, onze Clovis,' snikte ze, 'wat was hij toch een varken uit duizenden...' 'Je moet niet op haar letten,' zei Flup, 'ze heeft het over een varken dat ze goed heeft gekend. Welke auto heeft je vader?' 'Een Simca-Chrysler 1600,' antwoordde ik. Ik bedenk hier trouwens dat die Simca-Chrysler later dan in 1972 werd gekocht. Ja, ik meen dat we in 1972 onze Simca 1300 nog hadden. 'Dat kan niet,' zei Flup, 'die komt pas over een jaar op de markt, misschien zelfs pas over twee jaar.' 'Dan is het zonder twijfel een Simca 1300 die we hebben,' zei ik. 'Ja, dat kan,' zei Flup, 'ik heb je vader er al mee zien rijden. Een witte.' 'Exact!' riep ik uit en ik had zin om van de stress een rondedans te doen, hierbij Pristina bij de taille te grijpen en met haar te tollen tot we allebei zo duizelig als de pest ten gronde zouden stuiken. Ze droogde haar tranen en zei: 'Ik moet me eroverheen zetten... Nog een pilsje, jongens?' 'Dat hoef je mij geen twee keer te vragen,' zei Flup. 'Doe voor mij ook nog maar eentje, mevrouw,' zei ik, 'dat sla ik niet af. Ik heb er waarlijk zin in. Het zal goed naar binnen glijden. Op één been kan je niet staan, zeg ik altijd.' Ze ging naar de keuken. 'Je moet op haar niet letten,' fluisterde Flup me toe, 'ze heeft goede dagen en slechte dagen.' 'Welke dag is het vandaag?' vroeg ik. 'Woensdag,' zei hij. De volgende stilte bood zich aan. 'Dus,' zo zei ik, 'is dat je schoonmoeder van wie de foto daar is geschilderd?' 'Ja,' zei hij, 'net voor haar breuk. Pyronie heette ze. Ze was vernoemd naar Pyronie La Plouffe, een danseres in Oostende op wie vader dol was. Die man moest veel naar Oostende, voor zijn werk.' 'Wat was dat voor werk, Flup?' vroeg ik. 'Opkoper van visafval,' zei hij. 'Wat deed hij met dat visafval?' wilde ik voor de gein wel 'ns weten. 'Veel te weinig,' zei hij, 'want hij had geen nagel om aan z'n gat te krabben.' Pristina kwam binnen. 'Ik heb jullie wel gehoord,' zei ze, terwijl ze de pilsjes overhandigde, 'en ik zal je zeggen wat hij met dat visafval deed. Hij gaf het aan onze Clovis. Anders was dat beest zonder twijfel gestorven van de honger.' 'En wat aten jullie?' vroeg ik. 'Brood met kaas,' zei ze. 'We sneden het brood en legden daar de plakken kaas op.' Ik wilde het gesprek in een andere richting stuwen en vroeg: 'Weten jullie soms waarom Nancy wil stoppen met zingen in m'n groep?' 'Zingt ze in een groep?' vroeg Flup. 'Dat ben ik je vergeten te zeggen,' zei Pristina, 'ja, ze zingt in een groep. Maar ze is ermee gestopt.' 'Waarom?' vroeg ik. 'Omdat Kurt het niet wil,' zei ze. Zie je wel. Ik had het voorspeld. Ik heb een goede kijk op de dingen. Ik ben een mensenkenner. Was ik toch niet beter psychologisch begeleider geworden? Op dat moment kwam Nancy binnen. Ze bracht de boodschappen naar de keuken en ging dan in de woonkamer recht tegenover mij zitten. 'Waarom wil Kurt het niet?' vroeg ik. 'Welnu, Herman,' begon ze, 'hij wil het niet omdat hij denkt dat ik met een van de bandleden een relatie zal beginnen.' 'Dat soort praat hoef ik niet aan te horen,' zei Flup, 'ik ga een eindje fietsen. Fiets je mee, Pristina?' 'Ja,' zei ze, 'maar ik doe wel m'n jack aan. Zo'n lekker weer is het niet.' Wat zouden we nu krijgen? Het was toch, zoals ik tevoren opmerkte, een draaglijk weer? Flup dronk z'n bier op en het echtpaar verdween. Ik bleef op die manier over met Nancy. Ik voelde meteen erotische gewaarwordingen in m'n sjarel. Die onderdrukte ik, want die Nancy was geen meisje voor mij. Toch wilde ik meer informatie uit haar halen. 'Met welk bandlid zou je dan wel een relatie beginnen?' vroeg ik aldus. 'Ik zou jullie strootjes laten trekken,' zei ze. Wat een afknapper. Strootjes trekken godbetert. Met dat strootjes trekken altijd. Terwijl ze toch eenvoudigweg mij had kunnen kiezen om een relatie mee te beginnen. 'Ik zou wel willen dat jij het langste strootje trok,' zei ze. Dat was al beter. Zo wilde ik het horen. Ik stond op en nam haar in m'n armen. We kusten elkaar hartstochtelijk. Reeds gleed m'n rechterhand in haar bustehouder. 'Nee, Herman...' zei ze. 'Nee, dit mag niet, ik behoor Kurt toe.' 'Kurt hoeft hier niets van te weten,' zei ik. 'Nee?' vroeg ze voor alle zekerheid. Ik beaamde het. Een loden last leek van haar frêle schouders te glijden. Het duurde geen twee minuten of onze kleren lagen op een hoopje. Het is vandaag de eerste keer dat ik mijn lezers over deze specifieke seksuele ervaring vertel. Nancy nam m'n penis in haar hand en keek ernaar. Intussen hield ik haar tieten en haar vagina in de gaten. Het was allemaal behoorlijk hitsig. 'Waar zal ik 'm in steken?' vroeg ze. 'Jij mag kiezen,' zei ik. 'Nee, jij,' zei ze. Voor m'n penis in een anus steken vond ik mezelf eerlijk gezegd nog wat te jong. God weet zou het niet traumatisch zijn. In haar mond? Ja, waarom niet, een mond is er danig geschikt voor. 'In je mond,' zei ik. 'Daar ben ik te jong voor,' zei ze. 'In je vagina?' probeerde ik. 'Jáááááááááááá!' gilde ze, reeds geil bij de gedachte alleen. Zo gebeurde. Ik deed erg m'n best om haar, met behulp van de penetratie, te plezieren zoals een meisje het in feite wil, en dat leek me nog te lukken ook, want er vloeide kwijl uit haar mond. Dat is altijd een goed teken. Ook vloeide er snot uit haar neus. Of dat ook een goed teken was, daar had ik eigenlijk nog nooit bij stilgestaan. Hopelijk zou er geen bloed uit haar oren vloeien, want ik had gelezen dat dat niet gezond is. Ik las al veel in die tijd. Ik ben altijd wel een lezer geweest. 'Dieper, Herman,' kreunde ze, 'dieper.' 'Ja oké, Nancy,' zei ik, 'ik zal nog wat dieper proberen.' Ik probeerde het en bereikte een diepte die ik nooit eerder had bereikt, noch bij Bollie noch bij die vrouw met de Suzuki, hoe heet ze, wacht, ik blader even terug, ja, daar heb ik haar, Yvonne. Opeens kwam me daar toch een orgasme aanzetten, wel wel wel, je verstand staat erbij stil, tjonge, wat was dat een orgasme, en dan overdrijf ik niet. Het verliet m'n penis. Ik schreeuwde luid, en Nancy ook, en als twee geliefden bleven we in elkanders armen liggen. 'Hadden we niet beter een condoom gebruikt?' vroeg ik. 'Vrees niet,' zei Nancy, 'het is de goede periode van de maand.' Ik wist niet wat ze daarmee bedoelde. Ondanks m'n belezenheid waren er nog dingen die ik niet wist. Ik negeerde m'n onwetendheid echter en rolde van Nancy af. Ik gaf haar nog een kus op beide tepels en vroeg: 'Blijf je bij de groep, Nancy?' 'Nee,' zei ze, 'Kurt wil het niet.' En op die manier verdween Nancy uit de groep.

16

De audities

Er werden audities gehouden voor een nieuwe backingzangeres. We hadden een advertentie gezet in het Hamse weekblad *De Wuiten*, dat tot ver buiten Hamme werd gelezen. Ik zat met Erik Van Yzer en Mohammed Mahmoud achter een tafeltje in de koeienstal. Leo De Roode kon niet komen omdat hij naar een debatavond wilde gaan over zwarte gaten. Ik had zelf ook wel naar die debatavond willen gaan. Zwarte gaten konden me wel boeien, en ik had er zelf een theorie over, die ik indertijd had moeten opschrijven zodat ik hem thans kon navertellen. Het geheugen is niets waard. Ik had Nathalie ook bij de audities willen hebben omdat zij ten slotte moest samenzingen met de nieuwe zangeres, maar ook zij was afwezig omdat ze de buikgriep had na een verkeerde panharing te hebben gegeten. Het eerste meisje kwam binnen. 'Ga daar maar staan, op dat kruisje,' zei ik. Ik had met krijt een kruisje getekend op ongeveer anderhalve meter afstand van de tafel. 'Hoe heet je?' vroeg ik aan dat meisje. 'Cécile,' zei ze. 'Hoe oud ben je?' vroeg ik. Ik had al die vragen willen overslaan en haar meteen op willen dragen haar tieten te laten zien, doch dat zou het doel van de audities voorbijschieten, neem ik aan. 'Negentien,' zei ze. Dat was toch wel erg oud voor zo'n mokkel. 'Wat doe je in het dagelijkse leven, Cécile?' vroeg ik. Alsof het allemaal belangrijk was. Wat maakte het uit wat ze deed? Al verkocht ze koekenpannen aan de op- en afritten van autosnelwegen. 'Ik ben administratief bediende bij de firma Van de Voile en Zoon,' antwoordde ze. 'Wat doet die firma?' vroeg Erik Van Yzer. Ik keek ervan op dat hij zich interesseerde in wat firma's doen. 'Wij maken achterlichten,' zei die Cécile. Erik Van Yzer maakte een notitie op een wit blad dat hij voor zich had liggen. Ik keek naar wat hij had genoteerd. 'Achterlichten' stond er in dat hanengekrabbel van hem. Cécile was geen al te mager meisje met een zeker niet onfraai gezichtje en een lichaam van ik zal niet zeggen dertien in een dozijn, maar wat ik dan wel zal zeggen, weet jij het. Ik vond haar persoonlijk nogal lang. Ze moet voorbij de een meter zeventig zijn geweest. Dat zou te veel opvallen naast Nathalie, die maar een meter achtenvijftig was of iets daaromtrent. 'Heb je hobby's?' vroeg ik desondanks. Ik stak een sigaretje op. Daar was ik aan toe. Ik hoopte dat m'n vader niet zou binnenkomen, omdat hij ertegen was dat ik rookte. 'Ik ben een verwoed visser,' zei Cécile. 'Ja?' zei ik. 'Waarop? Op panharing?' Ik vond dit zo'n gevatte opmerking dat ik in de lach schoot. Je zal me er zelden op betrappen dat ik mijzelf een lolbroek noem, maar nu en dan kan ik zodanig spits uit de hoek komen dat ik over de grond zou rollen. Niemand anders lachte, wat ik, het niveau van m'n grap in achting genomen, merkwaardig vond. Weinig mensen hebben het gevoel voor humor dat ik als de norm beschouw. 'Nee,' zei Cécile, 'die kan je niet vangen in onze wateren. Ik probeer me te specialiseren in koningsforel, zwartbaars en gestreepte sprot.' 'Vaar je dan diep zee-inwaarts met je boot?' vroeg Mohammed. 'Ja,' zei ze, 'met papa's schoener kiezen we het ruime sop en doorklieven we de wilde baren.' Volgens mij was die griet stapelgek. Ik wilde verder niets meer over haar weten. Ik ben niet gek op krankzinnigen, ze jagen me een diepe angst aan. De kwestie was echter: kon ze zingen of niet? 'Mohammed,' zei ik, 'zing even het refrein van "The Useless Breath", waarna Cé-

cile invalt. Cécile, je moet goed luisteren naar wat Mohammed zingt, en dan moet je er backing vocals bij verzinnen.'
Mohammed stond op, schraapte z'n keel en zong:

Tsjoelala Tsjoelala
Tsjoelala Tsjoelala

Cécile luisterde aandachtig, wachtte tot Mohammed nog
een keer of vier het refrein had gezongen en toen zong ze op
de achtergrond:

Tsjaloeloe Tsjaloeloe
Tsjaloeloe Tsjaloeloe

'Stop!' riep ik. 'Stop! Cécile, het is niet "Tsjaloeloe Tsjaloeloe", maar "Tsjoelala Tsjoelala". Dat woord drukt een heel ar-
chetypisch gamma van gevoelens uit, terwijl "Tsjaloeloe"
maar een brabbelwoord is. Kom, probeer het nog een keer.'
   Mohammed schraapte nogmaals z'n keel, en zong:

Tsjaloeloe Tsja...

'Excuseer,' zei hij, en hij corrigeerde tot:

Tsjoelala Tsjoelala
Tsjoelala Tsjoelala

Cécile schraapte eveneens haar keel, en zong:

Tsjellulu Tsjellulu

'Stop!' riep ik. 'Wat zullen we nou krijgen? "Tsjellulu Tsjellulu", waar slaat dat in godsnaam op?' 'Ik probeer m'n eigen interpretatie te geven,' zei ze. 'Ik vind "Tsjoelala Tsjoe-

lala" een debiele tekst.' 'En "Tsjellulu Tsjellulu" niet zeker?'
zei ik verontwaardigd. 'Nee,' zei ze, 'dat klinkt heel onheil-
spellend, verraderlijk en desondanks aantrekkelijk.' 'Luis-
ter,' zei ik, 'wie is hier de tekstschrijver van The Hidden
Creators of the Sleepy Daydreams? Ik of een of andere dikke trut?' 'Dat hoef ik niet te pikken!' riep ze. 'Ik ben helemaal geen dikke trut! Ik ben een jong meisje in de jaren zeventig dat zich heel bewust is van zichzelf en waar ze voor
staat!' 'Ze zou wel 'ns gelijk kunnen hebben,' zei Erik Van
Yzer. Het leek erop dat hij viel voor die Cécile. Wel, ik niet.
Tsjellulu? M'n kloten, ja. 'We kunnen helaas niet van je
diensten gebruikmaken,' zei ik. Ze reageerde er koel op,
deed haar sjaal om, en wilde weggaan, maar Erik Van Yzer
vroeg eerst om haar telefoonnummer, dat ze precieus dic-
teerde. Hij schreef het op z'n blad papier, met zomaar even
drie uitroeptekens erachteraan. Vervolgens verliet ze de
koeienstal. 'Zingen kan ze niet,' zei Erik Van Yzer, 'maar
wat een lijf. Ze is helemaal niet dik. Ze is mooi gevuld.' 'Dat
ze is wat ze wil,' zei ik. 'De volgende!' schreeuwde ik. Nu
kwam een graatmager meisje binnen met een druipneus.
'Ga maar op het kruisje staan,' zei ik. 'Welk kruisje?' vroeg
ze. Ik wees het kruisje aan. Ze ging erop staan. Ik zou het
gebruikelijke lijstje vragen afraffelen, wat kon ik anders
doen? Ik voelde een lichte depressie opkomen, ongeveer zo
een als ik nu voel opkomen. Dat je in wezen geen zin hebt in
doen wat je te doen staat. Dat je liever in het zomergras zou
gaan liggen, starend naar de lucht en mompelend: hoe lang
nog, o God? Het verschil is dat ik toen nog dacht dat God
bestond, of althans een afschaduwing van Hem, en dat ik
nu denk dat God weliswaar niet bestaat maar toch in staat
is om ons te kloten dat het klettert. Je moet het zo'n God
toch nageven. 'Hoe heet je?' vroeg ik. 'Cato,' zei ze. 'Dat is
een mooie naam,' zei ik, 'hij doet me altijd denken aan een
meisje zoals jij.' Waarom ik haar stroop om de lippen

smeerde, 't is me een raadsel, want ze zag er niet uit. Haar druipneus was het meest sexy element van haar constitutie. 'Hoe oud ben je, Cato?' vroeg ik. 'Zeventienenhalf,' zei ze. 'Wat doe je in het leven?' vroeg ik. 'Ik help mijn vader bij het maken van pruiken,' zei ze. Wat een vervelend beroep. Of misschien niet. Ik besloot haar om opheldering te vragen. 'Is het een vervelend beroep?' vroeg ik. 'Ja,' zei ze. 'Heb je hobby's, Cato?' vroeg ik. 'Nee,' zei ze, 'behalve zingen, zingen en zingen. Ik zing de hele dag. Als ik niet zou zingen zou ik dood willen zijn.' 'Waarom?' vroeg Erik Van Yzer. 'Dat weet ik niet,' zei ze. Erik Van Yzer noteerde op z'n blad papier: 'Onwetend'. 'Dat je kunt zingen mag je nu bewijzen, Cato,' zei ik. 'Mohammed zal een refrein voorzingen en jij moet de backing vocals verzorgen, begrijp je dat?' 'Ja,' zei ze twijfelend. 'Mohammed,' zei ik, 'doe maar 'ns het refrein van "Don't Worry about Troubles".' Mohammed stond op van z'n stoel en zong:

Cooketeen cooketeen
Everybody loves my cooketeen

Cato onderbrak hem. 'Wat is een cooketeen?' vroeg ze. Een wijsneus, dus. 'Het is om het even wat een cooketeen is,' zei ik, 'ik weet het omdat ik de tekst heb geschreven en wie het niet weet moet er zich maar een eigen voorstelling bij maken.' 'In dat geval stel ik me voor dat het een koeketiene is,' zei ze. 'Ik verklap niets,' zei ik. 'Zing nu maar.' Mohammed zong opnieuw het refrein en Cato viel in:

Koeketiene koeketiene
Everboddie luvs me koeketiene

'Stop even,' zei ik. 'Cato, ik heb de indruk dat je Engels niet al te best is.' 'Dat kan dan wel zijn,' zei ze, 'maar het Engels van die Turk is ook niet alles.' 'Ik ben een Marokkaan,' zei Mohammed. 'Dat is me om het even,' zei Cato, 'maar je Engels trekt op niets. En daarbij, jullie zijn drie eikels. Ik had het direct gezien toen ik binnenkwam. Het enige wat jullie willen is in m'n onderbroek geraken. Wel, ik zal jullie dit zeggen: ik metsel m'n preut nog liever dicht dan dat ik ooit van m'n leven met jullie zou poepen.' Ze ging weg. Dat was een beetje een domper, doch anderzijds dan weer niet, omdat ze niet kon zingen. De domperfactor bestond erin dat een meisje vlakaf tegen me zei, hoewel niet alleen tegen mij maar toch óók tegen mij, dat ze geen seksuele omgang met mij wilde. Het is niet leuk voor een jongen, en later voor een man, om dat te horen. Het hoeft niemand te verbazen dat mannen vrouwen vaak haten. Niet dat ik die Cato haatte. Daarvoor knapte ik te veel af op haar druipneus. Ze was nog maar een halve minuut buiten of ze was al bijna uit m'n geheugen gewist, wat een troost kon heten. Desondanks vroeg ik: 'Vinden jullie het niet erg dat ze niet met jullie zou willen poepen?' 'Ik poep liever met een meisje van m'n eigen geloof,' zei Mohammed, 'en dan alleen als ik met haar gehuwd ben.' 'En ik zit nog in de masturbatiefase,' zei Erik Van Yzer. 'De volgende!' riep ik. Een meisje trad binnen. 'Hoe heet je?' vroeg ik. 'Sirène,' zei ze. 'Hoe oud ben je, Sirène?' 'Achttien.' 'Wat doe je in het leven?' 'Niets.' 'Wat zijn je hobby's?' 'Voetballen.' 'Wil je even meezingen met Mohammed?' Hij zong:

Oh oh oh oh oh oh
Ah ah uh uh ah ah

Zij zei: 'Ik moet dringend pissen.' 'Hiernaast is een toilet,' zei ik. Ze ging naar buiten en we hebben haar nooit meer weergezien. Na tien minuten ging ik het toilet checken. Nee, geen Sirène te bemerken. M'n grootmoeder stond voor de koeienstal geposteerd. 'Heb jij een meisje gezien?' vroeg ik. 'Ja,' zei ze, 'ze ging weg.' 'Heeft ze gezegd waarom?' vroeg ik. 'Nee,' zei m'n grootmoeder, 'maar ze schudde haar hoofd ten teken van afkeuring, walging en verschrikking. Mag ik nu?' 'Mag jij wat?' vroeg ik. 'Zingen,' zei ze, 'ik kan dan wel geen piano meer spelen, maar zingen kan ik nog wel.' 'Grootmoeder,' zei ik, 'ik denk dat je niet in het profiel past.' 'Laat mij toch maar proberen, toe, Herman?' Het blijft je grootmoeder. Ik noodde haar binnen in de koeienstal en vroeg haar om op het kruisje te gaan staan. 'M'n grootmoeder was in haar tijd een heel goeie zangeres,' zei ik tegen de anderen, 'en ik bedacht daarnet dat het misschien leuk zou zijn om een ietwat oudere vrouw in de groep te hebben. Heel speciaal zou dat zijn. Nooit eerder gedaan. We geven haar een kans.' Erik Van Yzer rolde met z'n ogen maar hield z'n mond. Mohammed Mahmoud zei: 'Veel succes, mevrouw', en hij zong:

Oh oh oh oh oh oh
Ah ah uh uh ah ah

Oh oh oh oh oh oh
Ah ah uh uh ah ah

M'n grootmoeder viel in en bij de oh's ging het prima, ja zelfs bij de ah's. Maar bij de uh's ging het mis. Ze zong ze zo laag dat ze ineens naar haar lies greep. Ze viel neer. Ik liep ons huis binnen en belde een ambulance. Een kwartier later werd m'n grootmoeder afgevoerd met een liesbreuk. 'Wat nu?' zei Mohammed. 'Er zijn geen kandidaten meer.' 'Dan doen we het met Nathalie alleen,' zei ik. 'Dat we daar niet eerder op gekomen zijn,' zei Erik Van Yzer. 'Hadden we er eerder op gekomen,' zei ik pissig, 'dan had jij het telefoonnummer van die dikke Cécile niet gehad.' 'Ze is niet dik,' zei hij, 'ze is goedgevuld.' De sfeer was om zeep. Hoe vaak gebeurt het niet, in allerlei omstandigheden, tijdens het samenzijn van welke mensen ook, dat de sfeer om zeep is? Ik heb liever dat er geen sfeer is dan dat hij om zeep is. Erik Van Yzer en Mohammed Mahmoud gingen naar huis. Ik bleef alleen achter het tafeltje zitten, voor me uit starend. M'n moeder kwam binnen. Ze vertelde dat m'n grootmoeder morgen alweer naar huis zou mogen. 'Maar hoe is het met jou, ma?' vroeg ik. Ze glimlachte de glimlach die ik zo goed kende en die nooit uit m'n geest zou verdwijnen. 'Dat gaat wel,' zei ze. 'Met mij ook,' zei ik. We logen, geloof ik, allebei.

17

De opname

Jean Van Yzer had een Volkswagen-busje. Daarin zat ons materiaal en wij zaten er ook in. Het was krap. We reden naar Grembergen, om bij Sabine onze eerste single in te blikken. Nathalie was er niet bij. Die had, toen ze hoorde dat ze voortaan de enige backingzangeres zou zijn, afgehaakt. Ik had haar nog proberen over te halen door haar op te zoeken bij de Rode Kapel, haar een bosje veldbloemen te schenken, en zelfs samen met haar een schietgebed te bidden, maar dat had geen enkel effect. Ik haatte Nathalie. Maar we moesten verder zonder haar, en zonder backing vocals tout court. Het zou zo ook wel lukken. Het móest wel. 'Ken je die mop van die twee hippies?' zei Jean. 'Ja,' zei z'n zoon. 'Dan vertel ik hem de volgende keer wel,' zei hij. Ik keek door het raampje. Kijk daar, m'n jeugd die voorbijgleed, vermomd als gras langs de beek. Het busje begon te slingeren. 'Wat is me dat nu in godsnaam en wat kan het zijn?' zei Jean. Zo'n raadsel was het niet als je wat van slingerende auto's af wist. Een lekke band. 'Stop aan de kant van de weg, Jean,' zei ik. Hij volgde mijn bevel op. We stapten uit. Zie je wel, daar had je die linkerachterband, die vrijwel plat was. 'We moeten de band vervangen,' zei Jean. 'Eerder het wiel,' zei ik, 'door een reservewiel.' Dat was rapper gezegd dan gedaan. Het duurde twintig minuten. We reden door. Het geslinger was opgehouden. 'Grembergen is een mooi dorp,' zei Jean, 'heb ik daar al over verteld?' 'Ja,' zei Erik. 'Wrijf het er nog maar 'ns in ook,' zei Jean. Ik had de indruk dat tussen Jean en Erik een typische vader-zoonrelatie bestond met pieken en dalen. Een psychiater zou er niet veel aan hebben. Te doordeweeks. Psychiaters willen speciale gevallen, de arrogante zakkenwassers. In 1984 ging ik naar een psychiater en ik zei: 'Met mij is er niets aan de hand, en daar heb ik het behoorlijk lastig mee.' Hij vroeg me om weg te gaan. Ik weigerde. Ik ging pas weg toen de avond viel. Heeft me veel geld gekost. Weer naar 1972. Ik wees het huis aan dat platenmaatschappij Sabine bevatte. We stapten nogmaals uit. Ik belde aan. Sullemie deed open. 'Dag Sullemie,' zei ik, 'je man heeft me gebeld in verband met de opname. Die vindt vandaag plaats. Hier zijn we. Moeten we met het materiaal door het huis, of langs het huis, via de achtertuin naar de studio, of hoe gaat het eraan toe?' Ze legde het uit. We laadden het materiaal uit en brachten het langs het huis, via de achtertuin naar de studio. De mankende Sullemie was met ons meegelopen. Toen het materiaal stond opgesteld kreeg ik eindelijk de gelegenheid om iedereen aan iedereen voor te stellen. 'Dit is Sullemie Tamtutter,' zei ik, 'de vrouw van onze producer-impresario Henkie Tamtutter.' Willy was ook komen opdagen. 'En dat is hun zoon Willy. Dit zijn dan weer Jean Van Yzer, onze chauffeur van dienst, zijn zoon Erik, de bassist, Leo De Roode, de gitarist, en Mohammed Mahmoud, de zanger.' 'Ben jij zo iemand voor wie we schrik moeten hebben?' vroeg Willy aan Mohammed en hij klampte zich al vast aan de rokken van z'n moeder. 'Nee, jongetje,' zei Mohammed, 'voorlopig niet. Ik heb de koran nog maar half uitgelezen en weet nog niet wat me te doen staat.' 'Wat zou dat dan wel kunnen zijn, Mohammed?' vroeg ik. 'Ik hoor zeggen van mensen die 'm wel volledig hebben uitgelezen dat we misschien de wereld moeten veroveren,' zei Mohammed. Dat hadden we niet achter hem gezocht. Op het eerste gezicht zo'n leuke Hammenaar en dan misschien wel van plan om de wereld te veroveren. Als ik eraan denk lopen de rillingen me over de rug. 'Die politiek ook altijd,' zei Sullemie, 'ik zal Henkie even gaan roepen.' 'Ligt hij te meuren in z'n bed?' vroeg ik. 'Nee, hij zit op zolder naar oude foto's te kijken,' meldde ze. Ze ging weg, gevolgd door Willy. 'Dat doe ik ook graag,' zei Jean, 'op zolder naar oude foto's kijken. En dan proberen te raden wie erop staat. Vorige week nog. Toen raadde ik dat tante Doriaan erop stond. Heb je die nog gekend, Erik?' 'Was dat die die hele dagen liep te kauwen?' vroeg Erik. Jean bevestigde dat. 'Waar kauwde ze die hele tijd dan wel op?' vroeg ik. 'Op alles wat in haar mond zat,' zei Jean. 'Ze is overleden in 1964, toen ze met haar man, nonkel Pover, een verkeerde berekening maakte. Hun lijken waren onherkenbaar voor wie ermee te maken kreeg. De dokter zei dat hij nog nooit twee mensen zo uiteengereten had gezien. Hij dacht zelfs dat het twee mannen waren. De preut van tante Doriaan is nooit gevonden.' 'Het moet erg zijn voor een vrouw om begraven te worden zonder preut,' zei ik. 'Erg, wat heet erg,' zei Leo De Roode. Mohammed Mahmoud had zich gebukt om naar een lieveheersbeestje te kijken. 'Een onrein dier,' zei hij. 'Als je het niet laat leven zul je wat meemaken,' zei ik. De sfeer was alweer gespannen. Henkie Tamtutter kwam aanzetten. Hij schudde niemand de hand. Wel zei hij tegen Mohammed Mahmoud: 'Nou, lekkere knul, wat heb jij van die leuke hangwangetjes.' Kortom, de sfeer bleef gespannen. We gingen naar binnen, nadat we Jean hadden gevraagd om buiten te blijven. De studio was niet al klein genoeg, en zo'n Jean was typisch iemand die weinig of niets zou kunnen bijdragen aan een plaatopname. Henkie ging achter de knoppen zitten. We namen de drie nummers op. We luisterden vervolgens naar wat er op de tape stond. Dat klonk in elk geval niet slecht. 'Vanavond maak ik op m'n gemakje de mastertape,' zei Henkie, 'en volgende week laat ik vijfhonderd exemplaren persen. Ik zal zelf de radiostations van een exemplaar voorzien, en naar de belangrijkste platenwinkels in de buurt rijden. Ik heb wat over voor m'n vak. Sterker nog, ik zal van nu af aan optredens proberen te regelen. Ook daar kunnen we exemplaren van de single verkopen. Nu gaan we een glaasje drinken op ons toekomstige succes. Lust jij wel een glaasje champagne, vogeltje?' 'Eentje dan, meneer,' zei Mohammed. We liepen achter Henkie aan het huis binnen. Daar betrapten we Jean en Sullemie. Ze zaten ieder in een zetel. 'We hadden het er net over hoezeer ik van de heide hou,' zei Jean. 'En ik ook,' zei Sullemie. 'Haal jij maar een bubbelende fles van onze beste champagne,' zei Henkie, 'we gaan klinken op het succes van The Creators of the Silly Dreams.' 'The Hidden Creators of the Sleepy Daydreams,' zei ik. Ik kan er totaal niet tegen als iemand een groepsnaam verhaspelt. Is het nu zo moeilijk om te onthouden dat een groep The Hidden Creators of the Sleepy Daydreams heet? Al bij al had ik liever met een andere producent dan Henkie Tamtutter gewerkt. Sullemie ging naar de keuken. Er werd gebeld. 'Doe jij 'ns open, Willy,' zei Henkie. Sullemie kwam terug met een fles champagne. Uit een kast haalde ze zeven glazen. Ja, dat klopte. Een glas voor mij, een voor Erik Van Yzer, een voor Leo De Roode, een voor Mohammed Mahmoud, een voor Jean Van Yzer, een voor Henkie, en een voor Sullemie zelf. Ik ben nochtans nooit zo dol geweest op champagne. Ik vind het een drank voor slappelingen en anderen met een verwrongen kijk op de sociale omgang tussen mensen die sowieso niet deugen en daar samen van proberen te genieten. Willy kwam de woonkamer binnen, gevolgd door een vrouw. 'Het is buurvrouw Plaggy,' zei hij. 'Plaggy!' riep Henkie. 'Ga zitten, meid! Drink jij nou maar 'ns een lekker glas champagne met ons mee. Dames en heren, dit is Plaggy van hiernaast.' 'En wie zijn jullie?' vroeg die Plaggy. Ze droeg een donkerrode jurk met een motief van waterkers er in het blauw op geborduurd. Ik zei wie wie was. Het leek haar matig te interesseren. Sullemie haalde een achtste glas uit de kast en Jean zei dat hij de fles wel even zou openmaken. De helft van de champagne spoot in het rond. Iedereen kreeg ongeveer 5 cc in z'n glas. We klonken. 'Nu het toch gezellig is,' zei Jean, 'wil ik gerust een verhaal vertellen. Het gebeurde in 1966. Ik had net de putbal uitgevonden en een loden last viel van mijn schouders. Ik besloot met mijn vrouw te gaan fietsen. Algauw bereikten we een uithoek van Temse, toen ik van m'n fiets viel. Dat moet een appelflauwte zijn geweest, van de jarenlange stress. M'n vrouw Yvette belde aan bij een oude boerenwoning, om een glaasje water te vragen. De boerin kwam mee met haar tot bij mij en diende mij het water in kleine slokjes toe. Ik opende langzaam m'n ogen en werd zowel door m'n vrouw als door de oude boerin overeind geholpen. Ik bedankte hen beiden. We fietsten door. Sindsdien heb ik nooit meer een appelflauwte gehad.' 'Mama, waarom vertelde die meneer zo'n vervelend verhaal?' vroeg Willy. 'Vervelend?' zei Erik Van Yzer. 'Wat weet jij van vervelend, kleine aap? Ik vind het een van de mooiste verhalen die ooit verteld zijn!' Goed dat hij het opnam voor z'n vader. Ik doe dat ook altijd. Een zoon die het niet opneemt voor z'n vader of z'n moeder, moet eeuwig branden in de hel, tenzij z'n vader of z'n moeder niet tof is. Dat wil niet zeggen dat Jean Van Yzer zo tof was. Maar hij kon ermee door. Op een schaal van één tot tien zou ik hem, betreffende tof zijn, een vijfenhalf geven. Tjonge, wat kijk ik ernaar uit dat dit boekje eindelijk voltooid raakt. Ik ben dringend aan rust toe en zal derhalve in de maanden oktober, november en december geen klap uitvoeren, behalve met m'n motorfiets een tochtje ondernemen, met mevrouw Brusselmans gebeurlijk achterop. 'Geef jij m'n zoon een grote bek?' zei Henkie. 'Ja,' zei Erik Van Yzer. 'Zo hoor je het 'ns van een ander, Willy!' riep Henkie tegen z'n zoon. 'Vooruit, naar je kamer!' Huilend verdween Willy, gevolgd door z'n moeder, die zei: 'Ik ga 'm even instoppen.' Plaggy hief haar jurk op en trok haar onderbroek

uit. We konden allemaal haar uitgezakte kut zien. 'Sorry,' zei
ze, 'het is een afwijking.' Ze trok haar onderbroek weer aan
en liet haar jurk zakken. We staarden allemaal naar de grond.
Schaamte overheerste. We zouden dit tafereel nooit meer
vergeten. Die vrouw, met haar uitgezakte kut. Ik verbrak op
den duur de drukkende stilte door te zeggen: 'Ik zou nog wel
'ns de opname opnieuw willen horen.' We gingen naar de
studio. We luisterden opnieuw naar 'The Useless Breath',
'Don't Worry about Troubles' en 'My Baby's Baby's Baby', die
we daarstraks in één take op de band hadden gespeeld. Ja,
het waren goede versies. Als Henkie de postproductie deed
zoals het hoorde konden we inderdaad, zoals ik al 'ns had
voorspeld, goud in handen hebben. Ik werd zelfs – uitzon-
derlijk voor mij – overmoedig. 'Zijn vijfhonderd exemplaren
niet te weinig?' vroeg ik. 'Dat valt af te wachten,' zei Henkie
Tamtutter. Hij had gelijk. 'We rijden naar huis,' zei ik. We
laadden het materiaal in het busje en we waren weg. Er werd
zo goed als niets gezegd. Zelfs Jean hield z'n bek. Het was
mogelijk dat ook hij voelde dat het allemaal niet was zoals
het zijn kon.

18

Het optreden

Er gingen niet veel familieleden, vrienden en kennissen mee naar het door Henkie Tamtutter in de Antwerpse zaal De Capucijn georganiseerde optreden van The Hidden Creators of the Sleepy Daydreams. M'n grootmoeder had wel mee willen gaan, maar ze zat aan de zetel gekluisterd met haar liesbreuk. M'n grootvader vond zichzelf te oud voor een verplaatsing naar Antwerpen. M'n vader kon niet geboeid worden door rockmuziek en m'n moeder bleef bij haar man, zoals zo vaak. Oom Theo wilde wel mee, omdat hij dan een avondje uit kon met tante Frieda. 'Blijf jij maar waar je bent,' zei ik tegen hem. 'Heel goed, Herman,' zei hij, 'dan houden we dat avondje uit thuis.' Geen enkele van hun negen kinderen was geneigd neef Herman bij te staan in z'n pogingen om Antwerpen plat te spelen. Tante Paula was intussen geëmigreerd naar Zuid-Frankrijk, om haar kookkunst te vervolmaken. De eerste dag dat ze daar woonde, in het bergstadje Jalout du Pardon, werd ze overvallen en in een ravijn gegooid. Ze herstelde matig, en zou nooit meer koken zonder te beven. Ik had Nancy gebeld om te vragen of ze naar het optreden kwam. 'Nee,' zei ze, 'ik moet net die dag ergens anders heen.' Ik had nog niet gezegd welke dag het was. Ik had ook Nathalie gebeld. Die zei: 'Ik haat je.' Ik vond meisjes complete debielen. Ook andere personages die op vorige bladzijden hun opwachting maakten, bijvoorbeeld lange Robert, Sjors en Bollie, Florentina, Joeri Falderie, Carlos Gonzales, Jules

L'Esplanadepleijn, Jef Van Dokkes, Yvonne, Hubert Lampo en Sam en Moos, waren verhinderd om de show bij te wonen, alsmede Sven Bult. M'n broer moest de dag nadien een belangrijke voetbalwedstrijd spelen en m'n zusje was nog te klein. Zelfs Jean Van Yzer kon ons niet brengen met z'n Volkswagen-busje omdat hij met z'n vrouw Yvette naar een buurtvergadering moest waarop beslist zou worden hoeveel platanen er in de Noordstraat en omgeving bij geplant mochten worden. Dikke Cécile had plannen gehad om te komen, ter aanmoediging van haar nieuwe vriendje Erik, maar op het laatst had ze buikgriep gekregen. 'Waarvan?' vroeg ik aan Erik Van Yzer. 'Toch zeker niet van een panharing?' 'Nee,' zei hij, 'van een gewone haring.'

We zaten in het Citroën-busje van Henkie Tamtutter. Het was er krap. Naast ons materiaal waren er Henkie, Erik Van Yzer, Leo De Roode, Mohammed Mahmoud en ik. Sullemie was evenmin aanwezig omdat Willy in het ziekenhuis lag nadat hij een kleurpotlood had ingeslikt dat ergens ter hoogte van z'n middenrif vastzat. De dokter zou proberen om het uit z'n anus te trekken, maar hij had daarover een oeverloze discussie met een collega, zodat het hele geval nogal wat tijd in beslag nam. Het was wel een feit dat Willy veel pijn leed. Ik kon mezelf niet betrappen op medelijden. Zou ik een slecht mens zijn, zoals ik wel eens heb overwogen?

We hadden alvast onze podiumkledij aan. Erik Van Yzer droeg derhalve wat hij altijd droeg, net als Leo De Roode, en ik droeg iets anders. Mohammed Mahmoud had een Marokkaans-islamitische sjaal rond z'n kop. We reden op de autosnelweg en toch leek het me nog een heel eind naar Antwerpen. Ik was ook in die tijd al geen reiziger, en van elke twee kilometer was er minstens één te veel. Henkie had zaal De Capucijn uitgekozen als plaats voor ons eerste optreden omdat hij die gratis kon krijgen. Hij werd uitgebaat door z'n broer Jantje. Meestal werden er erotische shows gegeven, waarbij meisjes hun klederen uitdeden. Jammer dat wij er die avond optraden, want zo'n erotische show had ik wel 'ns willen zien. 'Henkie,' zei ik ter hoogte van Sint-Niklaas, 'zijn er al veel exemplaren van onze single verkocht?' 'Dat valt tegen,' zei hij, 'de radiostations lijken niet geneigd 'm te draaien en de platenwinkels lijken niet happig om 'm af te nemen.' 'Waarom niet?' vroeg Erik Van Yzer, en verdomd als hij geen gelijk had dat hij die cruciale vraag stelde. 'Ze vinden het te ruig, te wazig en te ondoordacht,' zei Henkie, 'dat is de klacht die ik het vaakst hoor.' 'Ruig, wazig en ondoordacht?' zei Erik Van Yzer. 'Waar slaat dat op?' Verdomd als hij alweer geen gelijk had. 'Ik weet dat niet,' bemoeide Leo De Roode zich ermee. Normaal bemoeit hij zich nooit ergens mee, nu echter wel, zij het zonder resultaat. 'Wat gaan jullie allemaal spelen vanavond?' vroeg Henkie. 'Onze drie eigen nummers en zes covers,' zei ik. Hij vroeg welke covers. Dat hield ik nog even geheim. Wat dacht Tamtutter wel? Dat hij álles mocht weten? Het was al geen goed idee geweest om hem in te huren als producent, uitgever, impresario, distributeur en organisator. Hij was een lul, Grembergen onwaardig. Hij wist niets van muziek. Hij had een vrouw met een zere knie. Hij had een zoon met een kleurpotlood. Hij had geen snor, en dat was nu juist het enige wat in z'n voordeel sprak. Je kon met hem over praktisch niets een gesprek opzetten, niet over wie Fritz von Schleiper in godsnaam kon zijn, niet over de natuur, niet over de olieprijzen, niet over Richard Nixon, niet over vrouwen, niet over genetica of andere problemen. Want dat er problemen waren, dat behoeft geen betoog. 'Zit je lekker, leukerd?' vroeg hij aan Mohammed Mahmoud. 'Ik heb niet graag dat je me leukerd noemt,' zei die. 'Hoe moet ik je dan noemen?' vroeg Henkie. 'Vogeltje vind ik wel fijn,' zei Mohammed. En zo werd de reis steeds vervelender en gênanter. Nog goed dat we op een bepaald moment arriveerden. We wisten te parkeren op vijf meter van de ingang van de zaal. We haalden onze instrumenten uit het busje en gingen ze meteen opstellen op het podium. We ontmoetten Jantje Tamtutter, een man met zo'n onopvallend gezicht dat ik eerst bijna niet geloofde dat hij het was. 'Zijn er al veel kaartjes verkocht?' vroeg ik hem. 'Zestien,' zei hij, 'maar misschien kopen vele mensen een kaartje nét voor ze naar binnen gaan.' Dat was natuurlijk een theorie als een andere. Omdat we te vroeg waren, besloten we iets te gaan drinken in een café in de buurt. Dat bleek café De Oude Man te zijn. Je zou verwacht hebben dat het werd uitgebaat door een oude man, maar het was zijn zoon. De oude man was de week daarvoor overleden, zei die zoon. 'Waaraan?' vroeg ik. Altijd weer komt m'n medische interesse tot uiting. 'Aan een trombolie,' zei de zoon. Daar had ik nu nog nooit van gehoord. Ongetwijfeld was het iets gevaarlijks, anders zou je er, al ben ik geen arts, niet aan overlijden. We gingen aan een tafeltje zitten. 'Voor mij een pilsje,' zei ik. Erik Van Yzer wilde er ook een, en Leo De Roode ook. Mohammed Mahmoud vroeg om een thee. 'Dat hebben we hier niet,' zei de zoon van de oude man. Hij was vrij onvriendelijk tegen Mohammed Mahmoud. Was het z'n bruine kleur? Was het z'n hoofddoek? Was het z'n uitstraling? Was het z'n je ne sais quoi? 'Geef dan maar een glaasje water, meneer,' zei hij. Henkie Tamtutter had, net voor we dit café betraden, gezegd dat hij ergens heen moest maar dat hij tegen het begin van het optreden terug zou zijn. 'Waar zou Henkie heen zijn?' vroeg Erik Van Yzer. 'Naar de hoeren natuurlijk,' zei ik. Met tegenzin bracht de uitbater de drie pilsjes en het glas water. Ik betaalde. Ik had nog altijd geld over van de Adolfs. 'Weet je wat ik heb horen zeggen?' zei Mohammed. 'Nee,' zei iemand. 'Dat mensen als ik in Antwerpen niet op prijs worden gesteld,' zei hij. 'Ach, dat is allemaal praat van de socialisten,' zei ik. Desondanks stond de uitbater de hele tijd nors naar Mohammed te kijken, net als de enige twee andere klanten in het café, een echtpaar op leeftijd. Ik besloot op te treden. 'Waar kijken jullie naar?' vroeg ik. 'Mogen we niet kijken waarnaar we willen?' zei de man. 'Zwijg, Achiel,' zei de vrouw, 'het zijn anarchisten.' 'Ik zwijg voor niemand,' zei Achiel, 'zeker niet voor vier snotneuzen die niet van hier zijn.' 'Ben jij wel van hier, klootzak?' vroeg Leo De Roode. Hij zei niet veel, maar als hij iets zei, nou ja, dan was het raak, geloof ik. 'Gaston, gooi die smeerlappen buiten!' riep Achiel. Hij had een zekere autoriteit over zich, want de uitbater zei: 'Buiten, jullie!' Niet dat we zin hadden om nog lang te blijven. We dronken onze pils en het water op en we verlieten De Oude Man. Je komt dan 'ns in Antwerpen en dan word je nog buiten gegooid ook. Daar zou ik in het vervolg rekening mee houden. Meer nog, als mijn vrouw gaat shoppen doet ze dat geregeld in Gent, Brussel, Parijs of Milaan, maar zelden in Antwerpen. Dat komt ervan. We liepen terug naar de zaal, en wachtten tot het negen uur was in een hokje achter het podium. Om negen uur kwam Jantje Tamtutter ons zeggen dat hij ons over tien minuten zou aankondigen. 'Hoeveel volk zit er in de zaal?' vroeg ik. 'Zestien,' zei hij. Tien minuten, nog tien minuten… De zenuwen gierden ons door de keel! Behalve bij Leo De Roode. Die zat een kruiswoordraadsel in te vullen. 'Een witte lijn op de openbare weg, vijftien letters verticaal,' zei hij. 'Straatmarkering,' zei ik. Leo De Roode vulde 'straatmarkering' in, en het klopte. We hoorden Jantje Tamtutter in de microfoon roepen: 'En dan nu, uit Hamme, The Hidden Daydreams of the Creators!' Zou je hem niet. Ik heb het al een paar keer gevraagd, maar ik zal het nog 'ns vragen: is het nu zo moeilijk om de naam The Hidden Creators of the Sleepy Daydreams te onthouden? We wensten elkaar succes en sprongen op het podium. Ik tikte af en we begonnen aan een strakke versie van 'The Useless Breath'. Vanaf dat moment begonnen we een vijandige sfeer in de zaal te voelen. 'Vuile makak!' riep iemand. 'Ga terug naar Achterlijkistan!'

Het kon bijna niet anders of dat werd geroepen tegen Mohammed Mahmoud, die nochtans heel goed zong. Even later kreeg hij een flesje tegen z'n hoofd. Hij viel neer. Een van de zestien toeschouwers sprong op het podium en stak Mohammed een mes in z'n buik. Ja, jongens, van dik hout zaagt men planken. Maar goed, na hun wandaad verlieten alle zestien toeschouwers als hazen de zaal. Lafaards, ik kan niet zo meteen een ander woord voor hen verzinnen.

De ambulance en de politie werden gebeld. Mohammed werd naar het ziekenhuis gebracht, waar hij drie dagen zou vechten voor z'n leven. Wij zeiden tegen de politie dat we de dader niet goed hadden gezien omdat het allemaal zo snel ging. Wat we op dat moment niet wisten was dat de onverlaat nog diezelfde avond gevonden zou worden nadat hij in een café aan het opscheppen was over z'n actie. Zijn naam was Piet Janssens.

Toen het leven van Mohammed gered leek werd hij van het Antwerpse ziekenhuis overgebracht naar het ziekenhuis in Hamme. Daar gingen Erik Van Yzer, Leo De Roode en ik hem bezoeken. 'Hoe gaat het, Mohammed?' vroeg ik. Er kwam een verpleegster binnen. Wat was dat een lekker wijf, zeg. Eerlijk gezegd moesten we onze aandacht bij Mohammed houden, of we zouden vergeten zijn dat hij daar lag. 'Het gaat wel, jongens,' zei hij. Z'n vader zei: 'Ja, gaat wel.' Z'n moeder zei ook iets, maar dat was zodanig in het Marokkaans dat ik er niets van begreep. Wat moet het handig zijn om Marokkaans te verstaan. 'Volgens mij was het die hoofddoek die het 'm deed,' zei Leo De Roode. 'In het vervolg treed je maar op zonder podiumkledij,' viel ik hem bij. 'Ik treed niet meer op,' zei Mohammed. 'Ik doe niet meer mee aan die decadente handelingen. Ik ga de tweede helft van de koran lezen en dan zal ik m'n conclusies trekken.' 'Ja, conclusies,' zei z'n vader. Z'n moeder zei ook een woord, waarvan ik veronderstelde dat het 'conclusies' was in het Marokkaans. En zo leer je elke dag wel een woordje bij. 'Jammer,' zei Erik Van Yzer. Dat was een goed besluit van ons bezoek. De verpleegster, die ik de hele tijd in het oog had gehouden terwijl ze de wond van Mohammed verzorgde, zei: 'Willen jullie nu even op de gang wachten? Ik moet z'n pisseloe wassen.' 'Nee, niet m'n pisseloe wassen!' riep Mohammed. 'Niet pisseloe!' zei z'n vader. Z'n moeder zei 'pisseloe' in het Marokkaans. Het klonk redelijk gewaagd uit haar mond. We verlieten de ziekenkamer. We zaten zonder zanger.

19

Een nieuw begin, en het einde ervan

Er was een vergadering belegd in de koeienstal om zeven uur. Eerst was het nog zes uur. Ik dacht: ik ga een glaasje drinken in Het Pachthof. Hopelijk zouden daar niet m'n oom Theo en lange Robert zitten. Ze zaten er. Ik ging weer naar buiten. Daar ontmoette ik m'n neef Sven. 'Zit m'n vader in het café?' vroeg hij. 'Ja,' zei ik. Hij leek zich met deze informatie geen raad te weten. Hij stond naar de grond te staren. 'Is er iets, Sven?' vroeg ik. 'Ik ben erg ongelukkig,' zei hij. 'Ik draag graag meisjeskleren.' Mocht het 1984 of daaromtrent zijn geweest (of 1998), ik had 'm het telefoonnummer van m'n psychiater gegeven, maar het was 1972. 'Dan moet je die zeker dragen,' zei ik. 'Maar iedereen lacht me uit,' zei hij. 'Ik niet,' zei ik. 'Waarom niet, Herman?' vroeg hij. 'Omdat ik bijna nooit lach,' zei ik. Dat is waar, ik heb in heel dit boek maar één keer echt gelachen en dat was die keer toen ik vroeg aan dikke Cécile of ze op panharing viste. Nu, bijna vijfendertig jaar later, vind ik het nog altijd een topgrap. 'Maar nu moet ik weg, Sven,' zei ik, 'ik moet gaan fietsen.' 'Tot ziens, Herman,' zei hij. Hij liep van me weg. Hij zag er niet leuk uit in jongenskleren.

Ik ging naar huis, nam m'n fiets en ondernam een tocht van ongeveer drie kwartier. Ik passeerde onder meer de Rode Kapel, ondanks alles hopend dat ik daar Nathalie zou aantreffen. Ze was er niet. Daarom reed ik naar het huis van Nancy. Ik wilde per se een meisjesborst in m'n hand voelen.

Ik belde aan. Pristina deed open. 'Dag mevrouw,' zei ik, 'ik kom eigenlijk voor Nancy.' 'Ga maar naar boven,' zei ze, 'ze zit in haar kamer.' Ik ging het huis binnen en liep de trap op. Ik klopte op de deur. Er werd niet gereageerd. Ik laat me niet zomaar afschepen. Ik ging naar binnen. Nancy lag op haar bed te huilen. 'Wat is er, Nancy?' vroeg ik. Altijd die voor de hand liggende vragen, al jaren en jaren ben ik ze kotsbeu. 'Het is Kurt,' griende ze, 'hij heeft me gedumpt.' 'Waarom?' vroeg ik. 'Omdat ik zijn pisseloe niet in m'n mond wilde nemen,' zei ze. 'Dat komt waarschijnlijk omdat hij een heel vieze pisseloe heeft, Nancy, die hij heel weinig wast. Ik zal je dit zeggen: als een pisseloe goed gewassen is, dan is het voor een meisje prettig om hem in de mond te nemen.' Ik was er wel op uit om een meisjesborst in m'n hand te nemen, doch als dat gecombineerd kon worden met een pijpbeurt, dan zou ik geen neen zeggen. 'Neem nu mij,' ging ik door, 'je zult er misschien om lachen, maar ik was m'n pisseloe drie keer per dag. Met Lux-zeep.' Ze ging rechtop zitten. 'Lux-zeep ruikt heel lekker...' zei ze. Ze veegde haar tranen weg. 'Laten we dus één en één optellen,' zei ik, 'als Lux-zeep heel lekker ruikt, wat ruikt er dan ook lekker?' 'Je pisseloe...' besloot ze. Je mag zeggen over Nancy wat je wilt, maar echt een dommerik is ze niet. 'Zal ik hem dan maar in je mond steken?' vroeg ik. Ze begon opnieuw te huilen. 'Nee!' riep ze. 'Ik wil de pisseloe van Kurt in m'n mond!' Begrijp jij vrouwen? Ik niet, of alleszins niet in 1972. 'Mag ik een van je borsten in m'n hand houden?' vroeg ik. Mijn god, wat voelde ik me een pathetisch geval. Hier zat ik, vol van verlangen om een meisjesborst in m'n hand te houden, omdat ik daar voor The Hidden Creators of the Sleepy Daydreams een nummer over wilde schrijven, getiteld 'Lightweight Champion'. 'Nee,' zei Nancy. De zieligaard genaamd Herman Brusselmans verliet de kamer en ging weg uit het huis en fietste naar z'n afspraak van zeven uur.

Erik Van Yzer kwam aanzetten om tien over zeven, Leo De Roode om halfacht. Daar zaten we, ons af te vragen wat we te bespreken hadden. Ik begon alvast met: 'The Hidden Creators of the Sleepy Daydreams hebben een nieuwe zanger nodig. Of een nieuwe zangeres.' 'Waarom niet Cécile?' zei Erik Van Yzer. 'Ten eerste,' zei ik, 'omdat die niet kan zingen. Ten tweede omdat het dom is om in een groep een koppel te hebben.' 'Dat is waar,' zei Leo De Roode. 'Dan moeten we iemand anders zoeken,' zei ik. 'Niet per se,' zei Erik Van Yzer. 'We kunnen ook een instrumentale groep worden.' Verdomd, dat was nog 'ns een idee. Een instrumentale groep, daar is toch niets op tegen? Zingen is voor mietjes. De andere kant van de medaille was dan weer dat ik me niet meer zou kunnen uitleven in het schrijven van teksten. Terwijl ik voor 'Lightweight Champion' een prachtige tekst in gedachten had. Maar ja, je hebt het niet – ook ik niet – altijd zoals je het wilt. 'Oké,' zei ik, 'een instrumentale groep. Een gitarist, een bassist en een drummer. Of nemen we er een banjo bij?' Ik moest onwillekeurig aan m'n tante Frieda denken. Welneen. M'n tante Frieda was een oud wijf dat niet kon spelen. Zie dat nu toch eindelijk 'ns onder ogen! In je hele familie is er niemand die kan spelen! Een zeer groot muzikaal talent dat ik van geen vreemde heb? Ik zou het wel van een vreemde móeten hebben. Maar dat heb ik níet. Ik heb géén groot muzikaal talent, wat ik in diverse van m'n vorige letterkundige werken ook mag beweren. Ik heb een heel matig muzikaal talent, ik ben een drummer die maar beter niet zou drummen, ik ben een songschrijver van m'n kloten, ik heb zo weinig muzikaal gevoel in al was het maar m'n kleine tenen dat ik de *Totenlieder* van Mahler een hoop irritante bullshit vind.

Maar zover waren we nog niet. The Hidden Creators of the Sleepy Daydreams zouden een instrumentale groep worden. 'Het is simpel,' zei ik, 'we spelen gewoon "The Useless Breath", "Don't Worry about Troubles" en "My Baby's Baby's

Baby" zonder dat er gezongen wordt. En in plaats van een refrein doen we in het ene nummer een bassolo, in het andere een gitaarsolo en in het derde een drumsolo.' Erik Van Yzer en Leo De Roode lieten dit even bezinken. M'n moeder kwam binnen. Ze had drie glazen limonade bij zich. 'Hebben jullie geen dorst, jongens?' vroeg ze. Ja, we hadden dorst. We namen ieder een glas limonade en dronken. M'n moeder ging weer weg. 'Amuseer jullie nog een beetje,' zei ze eerst nog. 'Weet je wat,' zei Erik Van Yzer, 'laten we het even proberen.' Hij gordde z'n basgitaar om. Leo De Roode nam z'n gitaar ter hand en ik ging achter m'n drumstel zitten. 'Wacht 'ns even,' zei ik, 'ik vind: als we een instrumentale groep worden, moeten we eerst een andere naam hebben. De banden met The Hidden Creators of the Sleepy Daydreams moeten verbroken worden.' Daar stond Erik Van Yzer met z'n basgitaar aan z'n lijf, en Leo De Roode met z'n gitaar, en ik zat achter m'n drumstel met m'n stokken in de aanslag, en alle drie dachten we na over een nieuwe groepsnaam. Ten slotte was ik het die er met een op de proppen kwam. Het was een lange naam in het Engels, met een halve heilige erin, en het was een ongelooflijk onnozele naam, en toch drukte hij een gevoel uit waar ik vaak last van had, en de andere twee vonden hem wel geschikt. 'Bij gebrek aan beter dan maar,' zei Leo De Roode.

Ik tikte af en we begonnen aan de instrumentale versie van een van onze nummers. Het maakt verdomd niet uit welk. Waar iemand het refrein had moeten zingen laste Erik Van Yzer een bassolo in. Ik had de indruk dat het de miserabelste bassolo was die iemand ooit had kunnen horen. Ineens, alsof het was afgesproken, hielden we op met spelen. 'Dit werkt niet,' zei Erik Van Yzer. 'En het zal nooit werken,' zei Leo De Roode. 'Wat moet er dan gebeuren?' zei ik. 'Ermee ophouden,' zei Erik Van Yzer. 'Ja,' zei Leo De Roode. 'Oké,' zei ik. We keken naar elkaar en dat was het dan. Onze muzikale avonturen stopten hier. 'Jammer van de groepsnaam,' zei

Erik Van Yzer. 'Ach,' zei ik, 'die gebruik ik ooit wel als titel van een boek.' Ze verlieten de koeienstal. Ik bleef nog even zitten en ik wist in het geheel niet wat te denken of te besluiten. Ik nam op den duur de drie lege limonadeglazen en bracht ze mee het huis in. Daar zaten m'n moeder en m'n vader aan tafel. 'Dag ma, dag pa,' zei ik. 'Dag jongen,' zei m'n moeder. 'Dag,' zei m'n vader. Hij vroeg wanneer ik eindelijk ging ophouden met dat voortdurende lawaai in z'n koeienstal. 'Ik bén ermee opgehouden,' zei ik, 'ik stop met de muziek. Ik ga schrijver worden.' 'Zolang het maar geen lawaai maakt,' zei m'n vader, en m'n moeder glimlachte de glimlach die ik zo goed kende, en die nooit uit m'n geest zou verdwijnen. De glimlach van een goed mens. Was er toch nog hoop op verlossing van de wereld en van de mensheid? Op die vraag heb ik maar één antwoord: Tsjoelala Tsjoelala.